KB178062

목차

1장 로건과샤롯의 첫번째 사건

로건의 과거: 최연소 CIA 요원

로건은 어릴적부터 남다른 재능을가지고 있었다. 남다른 분석력과 관찰력은 또래와비교할수없을정도였다. 학교에서는 항상 최상위권을유지했으며, 과학과수학에서 특히 뛰어난성적을 보였다. 이러한 로건의 능력을 알아본 선생님은 그의 부모에게 조언을 했다.
"로건은 보통아이들과는 다릅니다. 그의 재능을 최대한 발휘할수 있도록 특별한교육이 필요합니다."

로건의 부모는 선생님의 조언을 따르기로했다. 그들은 로건을 위해 최고의 교육을 제공하기로 결심했다. 로건은 다양한 과학경시대회와 수학올림피아드에 참가하며 자신의능력을 입증했다. 그의 이름은 점차 여러 교육기관과 연구소에서 알려지기 시작했다. 대학에 진학하기전, 그는 이미 여러연구프로젝트에 참여하여 학계에서도 인정받는인물이 되었다.

로건이 18세가 되던해, 그는 MIT에 입학했다. MIT에서 그는 컴퓨터 공학과수학을 전공하며 뛰어난성과를 거두었다. 그가 연구한 알고리즘은 암호해독 분야에서 혁신적인 발견으로 인정받았고, 이는 CIA의 주목을받게했다. CIA는 로건의 능력을 간과할수없었다. 그들은 로건에게 비밀리에 접근하여 그를 조직으로 스카우트하기로 결정했다.

로건은 처음에는 망설였다. CIA라는 조직의 특성상, 평범한삶을 살수없다는것을 알고있었기 때문이다. 그러나 그는 곧 결심했다. 자신의능력을 가장 잘활용할수있는곳이 바로 CIA라는것을 깨달았기 때문이다. 그렇게 로건은 21세의 나이에 최연소로 CIA 요원이 되었다.

로건의 첫임무는 중동의 테러리스트조직을 추적하는것이었다. 그의 역할은 조직의 통신을해독하고, 그들의 다음움직임을 예측하는 것이었다. 로건은 자신이 개발한 알고리즘을 사용해 조직의암호를 해독했고, 이를 통해 조직의주요인물들을 파악했다.

그의 정보는 곧바로 작전에 투입되었고, 덕분에 여러차례의 테러를 사전에 방지할수있었다.
로건의 능력은 조직 내에서 빠르게 인정받았다. 그는 더욱 중요한 임무를 맡게 되었고, 그의 명성은 점차높아졌다.
그러나 그의 능력은 단순히 기술적인부분에만 국한되지않았다.
로건은 사람의 심리와행동패턴을 분석하는데에도 뛰어난능력을 보였다. 이를 통해 그는 테러리스트들의 심리를 파악하고, 그들이 어떤행동을 취할지를 예측할수있었다.

로건의 명성은 그의 상관들뿐만 아니라 동료들 사이에서도 높았다. 그들은 로건을 존경했고, 그의 판단을 신뢰했다. 그러나 로건은 자신이 얼마나 뛰어난요원인지를 과시하지않았다. 그는 항상 겸손하게 행동하며, 동료들의 의견을 존중했다. 이러한 그의 태도는 조직내에서 그의 인기를 더욱 높였다.

로건이 25세가 되던해, 그는 자신의 커리어에서 가장큰도전에 직면하게 되었다. 그것은 바로 '블랙 사바스'라 불리는 국제적인 테러 조직을 추적하는 임무였다. 블랙 사바스는 전세계적으로 악명을 떨치고있는 조직으로, 그들의 리더는 정체가 밝혀지지 않은 채로 여러테러를 주도해왔다. 로건은 이조직을 무너뜨리는 임무를 맡았다.

로건은 블랙 사바스의 통신을 해독하기 위해 몇주동안 밤낮으로 노력했다. 그의 노력은 결실을 맺어, 조직의 몇몇 주요인물들을 파악할수있었다. 그는 이정보를 바탕으로 작전을 계획했고, 동료들과 함께 블랙 사바스를 추적하기 시작했다. 그러나 블랙 사바스의 리더는 로건의 존재를 눈치채고 있었다.

로건과 그의 팀은 블랙 사바스의 본거지를 습격하기로 결정했다. 그들은 정밀한 계획을 세우고, 완벽하게 작전을 수행했다. 그러나 예기치 못한일이 발생했다. 블랙 사바스의 리더는 이미 그들을 기다리고 있었다. 그는 로건의 팀이 습격을 시도할것을 예측하고, 함정을 준비해놓았다.

로건의 팀은 함정에 빠졌고, 그 과정에서 여러동료들이 목숨을 잃었다. 로건은 이사건을 통해 큰충격을 받았다. 그는 자신의 판단이 틀렸다는것에 큰죄책감을 느꼈고, 그로 인해 많은동료들을 잃었다는 사실에 괴로워했다.
결국 그는 CIA를 떠나기로 결심했다. 자신의 능력이 더이상 사람들을 지키지못한다는 생각에, 그는 조직을떠나 새로운길을 찾기로 했다.
로건이 CIA를 떠난후, 그는 독립탐정으로서의 삶을 시작했다. 그는 자신만의 방식으로 진실을찾고, 사람들을 돕기로 결심했다. 비록 과거의 상처는 여전히 그를 괴롭혔지만, 그는 앞으로 나아가기로 결심했다. 로건의 새로운삶은 그렇게 시작되었다.

사건의 시작: 첫번째 살인현장

로건은 이른아침 전화한통을 받았다. 전화기너머로 들려오는 목소리는 긴장감이 서려있었다. "로건, 살인현장이야. 가능한 빨리와줘."

로건은 신속히준비를 마치고 차를 몰았다. 도착한곳은 시카고 외곽의 한적한거리였다. 현장은 이미 경찰테이프로 둘러싸여 있었고, 기자들은 주위를 맴돌며 정보를 캐내려 애쓰고 있었다. 로건은 그들을 무시하고 곧바로 현장으로 향했다.
피해자는 중년남성으로, 그의몸에는 잔인한상처가 가득했다. 로건은 현장을 주의깊게살폈다.

범인의 흔적을 찾기위해서는 작은단서 하나도 놓치지 말아야 한다. 그때, 로건의 눈에 익숙한얼굴이 들어왔다. 바로 샤롯이었다.
샤롯은 침착한표정으로 현장을 조사하고 있었다. 그녀의 눈빛은 결연했고, 손놀림은 신속했다. 로건은 샤롯을보자 미소를지었다.

"샤롯, 오랜만이야."
샤롯은 고개를 들고 로건을 바라보았다. 그녀도 미소를 지었다.
"로건, 여기서 만날줄은 몰랐어요."
"나도 마찬가지야." 로건은 샤롯에게 다가가며 말했다. "사건에 대해 알고 있는 것을 말해줄 수 있겠어?"
샤롯은 고개를 끄덕이며 설명을 시작했다. "피해자는 존 스미스, 45세. 현장에서 발견된 단서는 거의없어요. 살해방식은 매우 잔인하고, 피해자의신체에 남은상처는 고통스럽게 죽임을 당했다는 것을 보여주고 있어요."

로건은 그녀의 설명을 들으며 피해자의 시신을 자세히살폈다.
"이런상처는 매우 치밀하게 계획된 살인임을 보여줘. 범인은 분명 전문가야."
샤롯은 고개를 끄덕였다. "맞아요. 하지만 우리는 아직아무런 단서도 찾지못했어요."

로건은 현장을 둘러보며 작은흔적들을 찾기 시작했다. 그의 눈에 띈 것은 주변에 흩어진 작은파편들이었다. 그는 그것들을 수집하며 분석했다.
"이것들은 범인이 남긴 흔적일수있어. 철저히 분석해봐야겠어."
샤롯은 로건의 손길을 주의 깊게 살폈다. "역시, 로건의 추리는 정확해요. 그런 눈썰미는 정말부러워요."

로건은 미소를 지으며 말했다. "너도 뛰어난직감을 가지고있어. 우리 함께라면 이사건을 해결할수있을거야."
둘은 현장을 조사하며 작은 단서들을 하나하나 모아갔다. 로건은 현장주변을 살피며 피해자의 동선을 추적했다. 샤롯은 피해자의 신원을 확인하며 그의 배경을 조사했다.
그들은 서로의역할을 나누어 사건을 효율적으로 해결하려 노력했다.

조사가 진행될수록 사건의 윤곽이 점점 드러나는 것 처럼느꼈다. 피해자는 평범한 중년남성이었지만, 그의 주변에는 수상한점들이 많았다. 샤롯은 피해자의 가족과친구들을 조사하며 그의 생활과 관련된 정보를 모았다. 로건은 현장에서 발견한 단서들을 분석하며 범인의 흔적을 추적했다.

로건과샤롯은 점점 더 많은정보를 수집하며 사건의 진실에 다가갔다. 그들은 피해자의 마지막행적을 추적하며 범인의동선을 파악하려했다. 샤롯은 피해자의가족이 겪고 있는 고통을 이해하며 그들에게 위로의 말을 건넸다. 로건은 냉철한 판단력으로 사건의 퍼즐을 맞춰나갔다.

둘은 서로의 역할을 완벽하게 나누어 일했다. 로건은 범인의 심리와 행동 패턴을 분석하며 단서들을 모았다. 샤롯은 피해자의 주변인물들을 조사하며 사건의 배경을 파악했다. 그들은 서로의 장점을 활용하여 사건을 해결해 나갔다.

시간이 흐를수록 사건의 윤곽이 점점 더 불명확해졌다. 로건과 샤롯은 범인의정체에 점점 멀어져갔다. 그들은 밤낮으로 사건을 추적했지만 단서들은 너무적었다. 범인은 교묘하게도 단서를 남기지않았다. 하지만 로건과샤롯은 그의 흔적을 놓치지않을려고했다.

샤롯의 결심: 로건과의 재회

일주일이 지났다. 사건의 복잡성과 범인의 신중함으로 인해 로건과샤롯은 여전히 해답을 찾지못하고 있었다.
하지만 그들은 팀으로서의 결속력과결심을 더욱 강화하고 있었다. 로건과샤롯은 매일 사무실에서 밤을 새우며 증거를 분석하고, 증인들과의 면담을 통해 가능한 모든각도에서 사건을 탐구했다.

그들은 사건의 배경과범인의동기를 찾기위해 노력했지만, 아직도 명확한 방향성을 찾지못한 채였다.
샤롯은 현장에서의 긴장과압박을 이겨내기 위해 과거의 경험을 되새기며 자신의결심을 강화했다. 그녀는 이사건이 단순한범죄 이상의 의미를 지니고 있다고 깨달았다.
범인이 자유롭게 다닐수있는 상황에서 그들은 더 많은 단서와정보를 수집해야 한다는 사실에절감했다.

어느날, 사무실에서 샤롯은 로건이 들어오기를 기다리고 있었다. 그녀는 열심히 사건을 분석하고, 새로운 아이디어를 모색하며 시간을 보냈다. 로건이 문을 열고들어오자, 그녀는 바로말을 꺼냈다.
"로건, 우리는 이사건을 끝내야 해요." 샤롯은 진지한 표정으로 말했다.
"범인은 아직도 우리 앞에서 비웃듯이 자유롭게 움직일수있어요. 우리는 더 많은 단서를 찾아야해요."

로건은 샤롯의 눈을 응시하며 고개를 끄덕였다. "맞아, 네 말이 맞아. 우리는 아직 사건의 중요한 부분을 파악하지 못한 것 같아. 하지만 우리는 함께 하니까, 무슨 일이든 해결할 수 있어."
샤롯은 로건의 지지에 힘을 받아 미소를 지었다. "고마워요, 로건. 우리는 이사건을 해결할수있을거예요. 로건을 만난후로부터,로건의 실력과결단력에 항상 감명받았어요."

로건은 샤롯의 칭찬을 겸손하게 받아들이며 고개를숙였다. "우리는 팀이야. 함께라면 어떤도전이라도 극복할수있어."
그들은 다시한번 의지를 모아 사건의 해결을 위한 전략을 세우기 시작했다.

연쇄살인범의 첫번째 메시지

로건과샤롯이 사건을 같이 조사하며 한주가 지나갔다.
그들은 사건의 복잡성과 범인의교묘함에 계속해서 맞서 싸우고 있었다. 어느날 아침, 로건은 사무실로 걸려온 한통의 전화를 받았다.
전화기 너머로 들려오는 목소리는 차갑고 무심했다.
"로건, 네 사무실 앞을 확인해봐. 네게 보낸 선물이 있어."
로건은 전화를 끊고 서둘러 사무실밖으로 나갔다. 문 앞에는 작은 상자가놓여있었다. 그는 상자를 조심스럽게 열었다. 그 안에는 흰 봉투가 하나들어있었다. 봉투를 열어보니, 그안에는 타자기로 찍은 편지가들어있었다.

편지의 내용은 다음과 같았다.

로건,
넌 내가 누구인지 알지 못할거야. 하지만 나는 너를 잘 알고 있지.
네가 내게 흥미를 느낄거라 생각했어. 나와 게임을 할 준비가 되었나?
여기 첫번째 힌트를 남긴다. 네가 이 힌트를 풀수있다면, 다음 단계로 나아갈수있을거야. 첫번째 문제는 다음과 같다:
"숫자와글자, 그 사이에 숨겨진 진실을 찾아라."
너와의 게임이 기대된다.

로건은 편지를 읽고난후, 샤롯에게 전화를 걸었다.
"샤롯, 사무실로 와줘. 뭔가 중요한걸 발견했어."
샤롯은 곧바로 사무실로 달려왔다. 그녀는 로건이 보여준 편지를 읽고 나서 긴장된표정으로 말했다.
"이건 분명히 연쇄살인범이 보낸 메시지 같아요. 우리를 도발하려는것 같아요."

로건은 고개를 끄덕였다. "맞아. 이제 이문제를 풀어야해. 숫자와 글자라... 무슨의미일까?"
둘은 함께 편지를 분석하기 시작했다. 로건은 편지의 문구를 하나하나 되짚으며 단서를 찾으려했다.

샤롯은 자신의 노트북을 꺼내어 인터넷에서 관련된 정보를 찾아보기 시작했다. 그들은 편지의 내용이 암호화된 메시지일 가능성을 염두에두고있었다.

몇시간후, 샤롯이 무언가를 발견한듯말했다.
"로건, 숫자와 글자라면 암호화된 메시지일 가능성이 높아요. 암호해독기를 사용해 보면 어떨까요?"
로건은 동의하며, 샤롯과 함께 편지의 내용을 암호 해독기로 분석하기 시작했다. 그들은 여러가지 방법을 시도하며 단서를 찾으려 애썼다.

마침내, 샤롯이 한가지 단서를 발견했다.
"여기, 이부분을 봐요. 편지의 첫글자와마지막글자를 조합해 보니, 특정한 패턴이 나와요."
로건은 샤롯의 말을듣고 편지를 다시살펴보았다.
"맞아, 이건 단순한 편지가 아니야. 이 안에 무언가 숨겨져있어."

그들은 편지의 각단어와 숫자를 조합해 새로운 메시지를 추출했다. 그 메시지는 다음과 같았다:

"숲속의 오래된집, 그곳에서 진실을 찾을수있을 것이다."

로건과샤롯은 서로를 바라보며 고개를 끄덕였다.
"숲속의 오래된집이라면, 우리가 찾아야할 장소가 분명해졌어."
그들은 지도를 펼쳐 숲속의 오래된집이있을만한장소를 찾기시작했다.
샤롯은 지역주민들에게 문의하며 그집의 위치를 알아냈다.
"여기같아요. 로건 이곳이 우리가 찾아야할장소예요."

로건은 즉시차를 준비하며말했다.
"우리는 그곳으로 가야해. 범인이 남긴 첫번째 메시지를 풀었으니, 이제 다음단계로 나아가야해."
샤롯은 로건과 함께 차에 올라탔다.
"우리가 함께라면 어떤어려움도 극복할수있을거예요. 이사건도 반드시 해결할수있을 거예요."

로건은 샤롯의 결심에 힘입어 차를 몰기 시작했다. 그들은 숲속의 오래된집으로 향하며 범인의 다음움직임을 예측하고 있었다. 그곳에서 무엇을 발견하게 될지, 어떤 위험이 도사리고 있을지 알수 없었지만, 그들은 서로의 결심과 협력을 믿고 있었다.

숲속의 오래된집에 도착한 로건과샤롯은 주위를 신중히 살피며 집안으로 들어갔다. 그곳에서 발견한것은 또 다른편지와 함께 놓인 작은 상자였다.
로건은 상자를 열어보았다. 그 안에는 작은키와 함께 또 다른 편지가들어 있었다.

편지의 내용은 다음과 같았다:

로건,
잘했어. 첫번째 문제를 풀었군. 이제 두번째 문제를 줄게. 이키를 사용해 다음장소로 가라. 그곳에서 또 다른 단서를 찾을 수 있을거야.
두번째 문제는 다음과 같다:
"시간과공간을 넘어서, 그곳에서 비밀이있을것이다."
계속해서 나를 따라와. 네가 이게임에서 승리할수있을지 지켜볼게.

로건과샤롯은 편지를읽고난후, 다시한번 결심을 다졌다. 그들은 두번째 문제를 풀기 위해 새로운 전략을 세우기 시작했다. 그들의 끈기와열정은 사건해결에 큰도움이 될 것이었다.

시간이 흐르면서, 그들은 점점 더 많은 정보를 수집하게 되었고, 사건의 실체에 가까워지고 있었다.
그들은 서로의 능력을 최대한으로 발휘하며, 팀으로서의 협력을 더욱 강화해 나갔다.

샤롯은 로건을 바라보며 말했다.
"우리는 반드시 이사건을 해결할거예요. 끝까지 포기하지 말아요."
로건은 그녀의 결심에 동의하며 고개를 끄덕였다.

"맞아, 샤롯. 우리는 반드시 이사건을 해결할거야. 너와 함께라면 어떤 도전도 두렵지 않아."

그들은 함께 두번째 문제를 풀기 위해 다시한번 결심을 다졌다.

2장. 연쇄살인범의 흔적

범인의 정체: 첫단서 발견

로건과샤롯은 숲속의 오래된집에서 두번째 문제를 풀기 위한 단서를 찾고 있었다.
작은상자와편지를 분석한 그들은 시간과공간을 넘어서라는 단서의 의미를 해독하려 애썼다. 샤롯은 인터넷에서 관련된정보를 찾으며, 로건은 현장에서 발견한 물건들을 세밀하게 조사했다.

"시간과공간을 넘어서... 이건 단순한문구가 아니야. 뭔가 깊은 의미가 있어."
로건은 편지를 손에 들고 중얼거렸다.
샤롯은 노트북화면을 바라보며 말했다.
"로건, 혹시 이단서가 과거와현재를 아우르는 장소와 관련이 있을까요?
예를 들어, 역사의 중요한사건이 일어났던장소 같은곳 말이에요."

로건은 그녀의 말을 듣고 고개를 끄덕였다. "그럴수도있어. 범인은 우리를 특정한 장소로 유도하려는 의도가있는것 같아. 그 장소가 사건과 어떻게 연결되는지를 알아내야 해."
그들은 함께지도를 펼쳐놓고 가능한 장소들을 점검하기 시작했다. 시간과공간을 넘어서라는 단서가 의미하는바를 찾아내기 위해, 그들은 과거의 사건들과 관련된장소를 조사했다. 그러던중, 샤롯이 한가지 단서를 발견했다.

"로건, 여기봐요. 시카고에 위치한 오래된도서관이 있어요. 그곳은 과거와 현재를 아우르는 장소로 유명해요. 혹시 그곳이 우리가 찾아야할장소일까요?"
로건은 샤롯이 제시한 도서관의 위치를 확인하며 말했다.
"그럴 가능성이높아. 도서관은 시간과공간을 연결하는 상징적인 장소야. 우리가 거기서 단서를 찾을수있을거야."
그들은 곧바로 도서관으로향했다. 도착한 도서관은 고풍스러운 외관을 자랑하며, 내부는 조용하고 고요했다.

로건과샤롯은 도서관의 관리자에게 범인이 남긴단서와 관련된 정보를 요청했다.
관리자는 그들에게 도서관의 역사와 관련된 자료를 제공하며 말했다.

"이 도서관은 19세기에 지어졌고, 그동안 많은 중요한 사건들이 이곳에서 논의되었어요. 혹시 특정한자료를 찾고 계신가요?"

로건은 편지의내용을 설명하며 말했다.
"우리는 시간과공간을 넘어서라는 단서를가지고 이곳에 왔습니다. 혹시 이와 관련된 자료가 있나요?"
관리자는 잠시생각한후, 그들을 도서관의 깊숙한 자료실로 안내했다. "여기에는 과거의 중요한 사건들과 관련된 자료들이 보관되어 있습니다. 아마도 찾고 있는 단서를 여기서 발견할수있을거예요."

로건과샤롯은 자료실에서 다양한책들과문서들을 조사하기 시작했다. 그들은 범인이 남긴단서와 관련된정보를 찾기위해 꼼꼼히 살폈다. 몇시간이 흐른후, 샤롯이 한가지 중요한 문서를 발견했다.
"로건, 여기봐요. 이문서에는 1920년대에 이도서관에서 일어난 중요한 사건에대한 기록이 있어요. 이사건은 미해결상태로 남아있었고, 당시에도 큰논란이 되었어요. 혹시 이사건과이번사건이 연결된 걸까요?"

로건은 문서를 살펴보며 말했다. "그럴 가능성이있어. 범인은 이도서관을 선택한이유가 있을거야. 이사건의 배경을 조사해보자."
그들은 문서에 기록된사건의 배경을 조사하며, 피해자와 관련된 정보를 수집했다. 그과정에서, 로건과샤롯은 그당시에도 비슷한 방식으로 살해된 피해자가 있었다는 사실을 알게 되었다.

"이건 단순한 우연이 아니야. 범인은 과거의 사건을 모방하고 있는것같아." 로건은 단서를 하나하나 맞추며 말했다.
"우리가 찾고 있는 범인은 이도서관과 관련된과거의 사건을 재현하려는 의도가 있어."
샤롯은 고개를 끄덕이며 말했다.
"맞아요. 이도서관에서 일어난사건을 조사하면 범인의 의도를 파악할수있을거예요."

그들은 도서관의 기록을 더욱 깊이 조사하며, 그당시 사건의 주요 인물들과 관련된 정보를 수집했다. 그 과정에서, 샤롯은 중요한 단서를 발견했다.
"로건, 이사건의 주요인물 중 한명이 최근에 사망했어요. 그리고 그의 손자 중 한명이 실종되었다는 기록이 있어요. 혹시 이실종된 손자가 이번사건의 범인일까요?"

로건은 샤롯의 말을 듣고 기록을 자세히살펴보았다. "그럴 가능성이 높아. 범인은 과거의 사건과 연결된 인물일수도있어. 이실종된 손자를 찾아야 해."
그들은 실종된손자의 행방을 추적하기 위해 추가적인 조사를 시작했다.
로건과샤롯은 실종된손자의 가족과친구들을 조사하며, 그의 최근 행적을 파악하려 애썼다.

며칠후, 그들은 중요한 정보를 얻게 되었다. 실종된손자는 최근에 시카고 외곽의 한폐허에서 목격되었다는 제보를 받았다. 로건과 샤롯은 즉시 그곳으로 향했다.
폐허에 도착한 그들은 주위를 신중히살피며, 범인의흔적을 찾기시작했다.
그들은 건물 안을 조사하며, 벽에 남겨진 흔적들과 남아있는 물건들을 분석했다. 그과정에서, 샤롯이 중요한단서를 발견했다.

"로건, 여기 봐요. 이건 범인이 남긴 메시지 같아요." 샤롯은 벽에 새겨진 글자를 가리키며 말했다.
"여기에서 '진실을 찾아라'라고 적혀있어요. 범인은 우리를 계속해서 시험하려는것 같아요."
로건은 글자를 자세히 살펴보며 말했다.
"맞아. 범인은 우리를 시험하려는 의도가있어. 하지만 우리는 포기하지 않을 거야."
그들은 폐허에서 발견한 단서를 가지고 사무실로 돌아왔다. 로건은 샤롯과함께범인의 행적을 재구성하며, 그의 다음움직임을 예측하기 시작했다.

"범인은 과거의사건과이번사건을 연결시키려는 의도가있어. 우리가 그를 잡기 위해서는 그의 심리를 정확히 파악해야해."

로건은 단서를 분석하며말했다.
샤롯은 고개를 끄덕이며, 로건의 결심을 지지했다.
"맞아요. 우리는 반드시 이 건을 해결할 거예요. 범인의 정체를 밝혀내고, 그를 법의 심판대에 세울 거예요."

그들은 다시한번 결심을 다지며, 범인의 흔적을 추적하기 위해 새로운 전략을 세웠다. 로건과샤롯의 끈기와열정은 사건해결에 큰도움이될것이었다. 그들은 서로의 능력을 최대한으로 발휘하며, 팀으로서의 협력을 더욱 강화해 나갔다.
시간이 흐르면서, 그들은 점점 더 많은정보를 수집하게되었고, 사건의 실체에 가까워지고 있었다.

두번째 희생자: 패턴의 시작

로건과샤롯은 첫번째 희생자의 사건을 조사하는 동안 범인의 패턴을 분석하고 있었다.
그러나 사건의해결은 생각보다복잡하고 시간이 걸렸다. 그리고 그들에게는 또다른 충격적인소식이 전해졌다. 두번째 희생자가 발견된것이다.

두번째 희생자는 도심의 고급아파트에서 살해되었다. 현장은 이미 경찰로 가득했고, 기자들은 사건의 규모를 실감한듯 더욱 열띤 취재를 벌이고 있었다.
로건과샤롯은 긴장된마음으로 현장으로 향했다. 아파트건물 앞에 도착하자, 경찰테이프가 어지럽게 둘러쳐져있었고, 경비가 삼엄했다.
"여기서도 일이 터졌군," 로건이 말했다.
"맞아요. 이패턴은 절대우연이아니예요," 샤롯이 고개를 끄덕이며 동의했다.
그들은 경찰에게 신분을 확인시킨후 아파트내부로 들어갔다.
두번째 희생자는 30대 초반의여성으로, 그녀의방은 잔인하게 어질러져있었다.

로건과샤롯은 조심스럽게방을 둘러보며 단서를찾기시작했다.
"첫번째 희생자와 비슷한상처군," 로건이 몸을숙이며 피해자의 상처를 살펴보았다. "범인의 방식이 일관돼있어. 아주치밀하게 계획된 살인이지."
"하지만 이건 또 다른차원의 잔인함이야,"
샤롯이 주위를 살피며 말했다.
"범인은 더 대담해졌어요. 이정도의 아파트에 침입하려면 상당한 준비가 필요했을거예요."

로건은 피해자의 신원을 확인하며 그들의 생활을 조사하기 시작했다. 첫번째 희생자와의 공통점을 찾기위해 피해자의 배경을 면밀히살폈다. 샤롯은 방안의 다른흔적들을 조사하며 범인이 남긴단서를 찾으려 애썼다.
"여기, 이 자물쇠가 부서져 있어요,"
샤롯이 발견한것을 가리켰다.

“범인은 이걸 이용해서 들어온것 같아요. 아주 능숙하게 자물쇠를 따냈어요.”
로건은 샤롯의 말을 들으며 단서를 추가로 수집했다.
“범인은 자물쇠따기에 전문가야. 첫번째 사건에서도 비슷한 흔적이있었어. 이번사건에서도 동일한방법을 사용했을 가능성이높아.”

그들은 방을 조사하면서 범인의 흔적을 더많이 찾으려했다.
로건은 피해자의 컴퓨터를켜서 그녀의 최근활동을 확인하기 시작했다. 샤롯은 피해자의일기장을 발견하고 그내용을 읽기시작했다.
일기장에는 피해자가 최근에 느낀 불안과 두려움에 대한 기록이 있었다.

“로건, 여기일기장에 뭔가있어요. 피해자가 최근에 어떤 남자에게 스토킹 당했다고써있어요. 그남자가 범인일수도 있어요.”
로건은 샤롯이 읽어준 내용을듣고 피해자의 컴퓨터를 더꼼꼼히 조사했다.
컴퓨터에는 최근에 주고받은 이메일과메시지가 남아있었다.
그들은 메시지속에서 의심스러운사람을 찾아냈다. 그사람은 피해자를 집요하게 쫓아다니며 위협적인메시지를 보냈던사람이었다.

“이남자가 우리가 찾는 범인일 가능성이높아. 그의 배경을 조사해봐야해,” 로건이 말했다.
샤롯은 곧바로 그남자의 정보를 조사하기 시작했다. 그의 신상정보와최근행적을 확인하며, 그가 두사건과 어떻게 연결되어 있는지를 파악하려했다. 그과정에서, 샤롯은 그남자가 과거에 폭력적인 행동을 했던 기록을 발견했다.

“로건, 이남자는 과거에도 비슷한 범죄를 저지른적이 있어요. 우리는 이남자를 찾아야해요.”

로건은 경찰과 협력하여 그남자의 위치를 추적하기 시작했다.
그들은 그의 최근행적을 파악하며 그가 어디에 숨어있을 가능성이 높은지를 분석했다. 그과정에서, 로건과샤롯은 그의동선을추적하며 그가 자주 방문했던 장소들을 확인했다.
며칠후, 그들은 그남자가 자주 방문했던 외곽의 한 낡은 창고에서 그의 흔적을 발견했다. 창고안은 어지럽혀져 있었고, 벽에는 다양한 도구들이 걸려있었다.

그들은 주위를 신중히 살피며 범인의 흔적을 찾기시작했다.
“이곳은 그의 은신처일 가능성이높아. 우리가 찾던 단서들이 여기 있을 거야,” 로건이 말했다.
샤롯은 주위를 살피며 벽에 붙어있는 사진들을 발견했다.
사진속에는 첫번째와두번째 희생자의 모습이 담겨있었다.
“로건, 이사진들을 봐요. 그는 우리를 지켜보고있었어요. 이모든 것을 계획했어요.”
로건은 사진들을 자세히살펴보며 말했다.

“그는 우리를 시험하고있어. 그의 다음목표는 누구일지 모르지만, 우리는 그를 멈춰야해.”
그들은 창고에서 발견한 단서들을 가지고 사무실로돌아왔다. 로건은 샤롯과 함께범인의 심리와행동패턴을 분석하며 그의 다음 움직임을 예측하기시작했다.
그들은 범인을 잡기위해 새로운전략을 세우고, 그의 다음목표를 막기위해 최선을 다했다.

“우리는 반드시 이사건을 해결할거야,” 로건이 결연한 목소리로 말했다.
“맞아요, 로건. 우리는 범인을 잡고, 이도시를 안전하게 만들거예요,” 샤롯이 고개를 끄덕이며말했다.

그들은 다시한번 결심을 다지며, 범인의 정체를 밝혀내기 위한 여정을 이어갔다.

로건의 추리: 퍼즐 맞추기

창고에서 돌아온 로건과샤롯은 발견한 단서들을 분석하기 위해 사무실로 향했다.

사무실의 불빛아래, 두사람은 창고에서 가져온 사진들과자료들을 펼쳐놓고 하나하나 검토했다. 창고에서의 단서발견은 그들에게 새로운 실마리를 제공했다. 그러나 퍼즐의 조각들을 맞추기 위해서는 좀 더 심도있는 분석이 필요했다.

로건은 사진을 유심히 들여다보았다. 첫번째와두번째 희생자의 모습이 담긴사진들이 범인의 심리상태를 잘보여주고 있었다.
"이건 단순한 스토킹이아니야. 범인은 이들에 대해 매우 치밀하게 계획하고 행동했어."
샤롯은 고개를끄덕였다. "맞아요. 사진속 배경을보면, 이장소들은 모두피해자가 자주가던곳들이예요. 범인은 이들을 오랫동안지켜봐왔어요."

로건은 창고에서 발견한메모를 펼쳐들고 샤롯에게 보여주었다.
"여기, 메모에 적힌내용들을봐. '다음목표는 이곳에서...'
이메모는 우리에게 단서를줄수있어."
샤롯은 메모를 자세히 살펴보았다. "이 문구들은 특정장소를 가리키고 있는것같아요. 우리가 이장소들을 찾아내면, 다음 희생자를 막을수있을거예요!."

로건은 지도와메모를 조합하며 범인의 다음움직임을 예측하기 시작했다. 메모속의 장소들을 지도로 표시하며, 이들 사이의 연관성을 찾아내려고노력했다. 그는 창고에서 발견한단서들과피해자들의 동선을 분석하며 퍼즐조각들을 맞춰 나갔다.
"여기봐, 샤롯. 이지점들을 연결하면 범인이 이동한경로가 보일거야,"
로건이 지도를 가리키며말했다. "범인은 특정패턴을 따라이동하고 있어. 그의 다음목표는 이근처일 가능성이높아."
샤롯은 로건의 분석을 보며 고개를 끄덕였다.
"그렇다면, 우리는 이지역을 집중적으로 조사해야겠어요. 그리고 그곳에서 추가단서를 찾아내야해요."

그들은 밤늦도록 사무실에서 자료를분석하고, 범인의 다음움직임을 예측하는데 몰두했다. 로건은 피해자들의 공통점을 찾아내고, 그들의 생활패턴을 분석하며 범인의 심리상태를 파악하려했다.
샤롯은 주변인물들과의 조사를 통해 범인의행적을 추적하며, 그가 누구인지 밝혀내기위해노력했다.

며칠후, 로건은 새로운단서를 발견했다. 첫번째와두번째 희생자 모두 특정시간대에 같은 카페를 방문했던 기록이 있었다.
이카페는 그들의 생활패턴속에서 중요한 장소였던것이다. 로건은 샤롯에게 이사실을 알리며, 함께 그카페를 조사하자고 제안했다.

"이카페가 우리의 다음 단서일수있어. 여기서 그들을 관찰했던 범인의 흔적을 찾을수있을거야," 로건이 말했다.
샤롯은 동의하며 말했다. "좋아요, 그럼 우리는 그카페로가서 범인의 흔적을 찾아봐요."

그들은 카페로 향했다. 카페는 평소와 다름없이손님들로 붐볐지만, 로건과샤롯은 침착하게 범인의 흔적을 찾아나섰다.

그들은 카페주인과직원들을 조사하며, 그곳에서 자주보였던 수상한사람에 대해 묻기시작했다.
"여기 자주오던 수상한사람이 있었나요?"
샤롯이 카페주인에게 물었다.
카페주인은 고개를 저으며 대답했다.
"글쎄요, 특별히 수상한사람은 기억나지않아요. 하지만 최근에 자주오던 사람이 있었어요. 그는 항상 혼자와서 커피를 마시며 책을 읽었죠. 조용하고 말수가적었어요."

로건은 주인의 설명을 들으며, 그남자가 범인일 가능성을 염두에 두었다. "그남자에 대해 자세히 말해줄수있나요? 어떤 책을 읽었는지, 어떤모습이었는지."
카페주인은 잠시생각한후 대답했다.
"그는 주로 범죄소설을 읽었어요. 그리고 항상검은모자와선글라스를 쓰고있었죠. 잘생긴외모였지만, 뭔가 차가운느낌이 들었어요."

로건과샤롯은 주인의 설명을 토대로 범인의모습을 그려나갔다.
그들은 카페주변을 살피며, 그남자가 자주 앉았던자리에서 추가단서를 찾으려했다. 샤롯은 그남자가 남긴흔적을 찾기위해 좌석과테이블을 꼼꼼히 조사했다.

“여기, 이 종이조각을 봐요. 뭔가를 적어 놓은것같아요,”
샤롯이 작은종이조각을 발견하고 로건에게 보여주었다.
로건은 종이를 받아들고 그내용을 읽었다. 종이에는 다음목표에 대한 힌트가 담겨있었다.
“여기 적힌장소를 확인해보자. 범인이 남긴단서일거야.”

그들은 종이에적힌 장소를 추적하기 위해 다시사무실로 돌아왔다.
로건은 지도를 펼치고, 종이에 적힌장소를 표시했다. 그장소는 도심에서 조금 떨어진 외곽 지역이었다.
“이곳이 범인의 다음목표일 가능성이높아. 우리는 이곳을 조사해야해,”
로건이 결연한 목소리로 말했다.

샤롯은 로건의 결단에 동의하며 말했다. “맞아요, 서둘러야해요. 범인을 잡기위해선 조금의 시간도 허비할수없어요.”
로건과샤롯은 그장소로 향하기위한 준비를마쳤다.

샤롯의 위험: 범인의 도발

로건과샤롯은 외곽지역의 다음 목표장소를 조사하기위해 서둘렀다.
장소는 한적한공원이었으며, 평소사람들의 발길이뜸한곳이었다.
도착하자마자 두사람은 각자역할을 나누어 범인의 흔적을 찾아 나섰다.

샤롯은 공원주위를 돌아다니며 수상한물건이나 흔적을 찾기 시작했다. 그녀는 공원의 벤치와나무,쓰레기통등 모든곳을 꼼꼼히 살폈다. 로건은 공원의 중심부로 향하며, 범인이 접근할수있는 경로와숨을만한곳들을 조사했다.

그때, 샤롯의 눈에 한장의종이가 보였다.
샤롯은 조심스럽게 종이를 주워들고 펼쳐보았다. 그종이에는 낯익은필체로 적힌 짧은메시지가있었다.
"로건과샤롯, 이제 너희차례야."
샤롯은 순간적으로 몸이 얼어붙는느낌을받았다.

그녀는 곧바로 로건에게 달려가종이를 보여주었다. 로건은 메시지를 읽고나서 얼굴이굳어졌다.
"이건 명백한도발이야. 범인은우리가 여기를온걸알고있어,“ 로건이 말했다.
샤롯은 걱정스러운표정으로 로건을 바라보았다.
"그렇다면 저희는 지금범인의 다음 희생양일까요?“

로건은 잠시생각에 잠겼다. "범인은 우리를 노리고 있는것같아. 하지만 우리는 그를 잡기위해 이곳에왔어. 경계를 늦추지말자."
그순간, 숲속에서 누군가의 발소리가 들려왔다.
두사람은 소리가 나는 방향으로 몸을 돌렸다.
그곳에는 검은옷을 입은 한남자가서있었다. 그의 얼굴은 어두운 모자로 가려져있었다.

그는 두사람을 바라보며 서서히 다가왔다.
로건과샤롯은 곧바로 대비자세를 취했다. 로건은 남자의 움직임을 주시하며 샤롯에게 속삭였다.

"샤롯, 준비해."
샤롯은 고개를끄덕이며 남자의 동태를 살폈다. 남자는 천천히 다가오다가 멈춰섰다. 그리고는 그들을 향해 미소를지으며 말했다.
"너희가 이곳에올줄알았다."
로건은 한발 앞으로 나아가며 물었다.
"넌누구지? 왜 우리를 노리고있는거지?"

남자는 미소를 지으며대답했다.
"나는 단지게임을 즐기고 있을뿐이야. 너희가 나를 쫓는것도, 내가 너희를 도발하는것도, 모두 게임의일부지."
샤롯은 남자의말에 분노가 치밀어올랐다.
"게임이라고?! 사람들의 목숨을 빼앗는게 게임이라고 생각하는거야?!"

남자는 무심한표정으로 대답했다.
"너희가 나를 잡을수있을지 지켜보는것도 꽤 흥미롭지 않겠어?"
로건은 남자의 도발에 흔들리지 않고 단호하게 말했다.
"우리는 너를 잡을거야. 그리고 네가 저지른죄에 대해 댓가를 치르게할거다."

남자는 비웃듯 웃으며 말했다.
"그렇다면 나를 잡아봐라. 하지만 그전에, 너희에게 경고하나 남기지. 샤롯, 너도 조심하는게 좋을거야 다음은너야 샬롯"
그말이 끝나자마자 남자는 순식간에 몸을돌려 숲속으로 사라졌다. 로건과샤롯은 그의 뒤를 쫓아갔지만, 이미남자의 모습은 사라지고 없었다.

그들은 다시공원으로 돌아와 상황을정리했다.
샤롯은 남자의경고에 대한 두려움을 떨쳐내고자 로건에게 말했다.
"로건, 우리는 그의 도발에 흔들리지 말아야해요. 우리는 이사건을 해결할수있어요."
로건은 샤롯의 의지를 확인하며 고개를 끄덕였다.
"맞아, 우리는 이사건을 반드시 해결할거야. 그리고 범인을 잡아서 법의 심판대에 세울거야."

그들은 공원에서의 조사를 마치고 사무실로 돌아왔다.

샤롯은 범인의 경고에도 불구하고 결연한 의지로 사건을 해결하기 위한노력을 계속했다. 로건은 샤롯의 용기와결단력에 감탄하며, 그녀와 함께 이사건을 해결할수있다는 확신을 가졌다.

사무실에서의 밤은 길었다. 그들은 범인의 흔적을 추적하며 모든 단서를 분석했다. 로건은 범인의 심리와행동패턴을 파악하기 위해 자료를 정리했고, 샤롯은 범인이 남긴메시지와종이를 분석하며 추가단서를 찾으려했다.
로건이 말했다. "범인은 우리를도발함으로써 우리의행동을 예측하고있어. 우리는 그보다한발 앞서야해,"

샤롯은 로건의 말에 동의하며말했다.
"맞아요. 우리는 그를 잡기위해 새로운전략을 세워야해요. 그의 다음 목표를 예측하고 그곳에서 그를 기다리는거예요."
그들은 밤새도록 논의하며 새로운계획을 세웠다. 범인의 도발에도 불구하고, 로건과샤롯은 서로를 믿고의지하며 사건의 진실에 다가가기 위해 최선을 다했다.

3장. 두뇌게임의시작

범인의 편지: 숨겨진 메시지

로건과샤롯은 밤을 새워가며 범인의흔적을 추적하고있었다.
그들이 사무실로 돌아왔을때, 로건의 책상위에 작은봉투가 놓여있는것을 발견했다. 샤롯은 그것을 집어 들고 조심스럽게뜯었다.
봉투안에는 타자기로쓴것 같은깔끔한 글씨가 적힌편지가 들어있었다.
"로건과샤롯, 또다시 마주하게되었군. 이게임은 이제시작일 뿐이다. 다음단서를 찾으려면 나의메시지를 풀어야할것이다. - J“

편지를읽은 샤롯은 로건을 바라보았다.
"이건 분명히우리를도발하는 메시지예요. 그리고 'J'라는 이니셜은 아마도 그의 코드네임일거예요."
로건은 편지를 받아들고 한참을 들여다보았다.
"우리가 풀어야할단서가 이편지안에 숨겨져있다는거겠지. 우선 편지의 내용과형식을 분석해보자.“

그들은 편지를 자세히살펴보기 시작했다. 편지의 글자간격, 문장구조, 그리고 사용된단어들까지 모두꼼꼼히 분석했다.
샤롯은 편지를 여러번 읽어보며 중요한단서를 놓치지않으려 애썼다.
"이편지에는 뭔가 숨겨져있어요. 단순한도발이 아니라, 뭔가 더 깊은 의미가있는것같아요,“
샤롯이 말했다.

로건은 고개를 끄덕이며 말했다. "맞아. 우리를 도발함으로써 그의 생각을 읽게하려는거겠지. 하지만 그보다 중요한건 이편지속에 숨겨진 진짜메시지를 찾아내는거야."
그들은 편지의 단어들을 하나하나분석하며 숨겨진메시지를 찾기시작했다.
편지의 각문장에서 의미있는단어들을 추출해보기도하고, 단어들의 첫글자나마지막글자를 조합해보기도했다.
"로건, 이문장들을봐요. 각문장의첫글자들을조합해보니까'PARK'라는 단어가나와요," 샤롯이 말했다.

로건은 그단어를곰곰이 생각해보았다.
"공원이라... 우리가 아까조사했던 그공원을 말하는건가? 아니면 다른공원일수도있어."
그들은 'PARK'라는 단어가 가리키는 장소를 찾기위해 여러공원들을 조사하기시작했다.

시카고에는 크고작은공원들이 많았기때문에, 그중 정확히어떤공원을 의미하는것인지 확인하기위해 많은시간을 할애해야했다.
샤롯은 시카고지도와공원목록을 펼쳐놓고, 로건은 인터넷과경찰기록을통해 단서를 찾기시작했다. 그들은 'PARK'와 관련된 모든 정보를 수집하며 범인의 의도를 파악하려애썼다.
"여기, 이공원에 최근 이상한사건들이 있었어. 몇주전에 실종된 사람이 이공원근처에서 마지막으로 목격되었어," 로건이 말했다.

샤롯은 그정보를듣고 공원의위치를 확인했다.
"바로 이곳이예요. 이공원에서 뭔가가 벌어지고 있는것같아요. 우리는 이곳을 조사해야해요."
그들은 곧바로공원으로 향했다. 도착한곳은 사람들이 거의찾지 않는 한적한공원이었다. 그들은 편지에서얻은단서를 바탕으로 공원구석구석을 조사하기시작했다.

"여기서뭔가 단서를 찾을수있을거예요. 편지에 쓰여있는단서가 이곳인게 분명해요," 샤롯이말했다. 로건은 공원의 벤치와나무, 쓰레기통등을 하나하나살펴보았다. 그들은 작은흔적이라도 놓치지 않기위해 주의깊게주변을 탐색했다. 그러던중, 샤롯의눈에 또다른 작은봉투가띄었다.

"로건, 여기 또다른편지가 있어요!" 샤롯이외쳤다.
로건은 샤롯에게 다가가 봉투를받아들고 열어보았다. 이번에도 같은 형식으로 쓰여진편지였다. 그안에는 또다른도전이담겨있었다.
"잘찾아왔군. 하지만 이건 시작에불과하다. 다음단서를원한다면, 공원남쪽끝에서 나를 찾아라. - J“

로건과샤롯은공원남쪽끝을향해걸어갔다.
그곳에는오래된정자가있었다. 정자주변을 살피던중, 로건은 바닥에놓인작은상자를 발견했다.
"여기있어. 이상자에 뭔가중요한단서가 담겨있을거야,“

로건이 말했다.
샤롯은 상자를 열어보았다. 그안에는 또다른편지와 함께작은열쇠 하나가 들어있었다. 편지에는 이번에도 짧은메시지가 적혀있었다.
"이열쇠는 다음장소로 가는길을 열어줄것이다. 서둘러라, 시간이 없다. - J"
로건과샤롯은 그열쇠가무엇을 열수있는지고민했다. 그들은 다시 사무실로 돌아가열쇠의용도를 분석하기시작했다. 로건은열쇠를 자세히 살펴보며 말했다.

"이열쇠는 단순한문을여는열쇠가아니야. 어쩌면특정한장소나물건을 열수있는 특별한열쇠일수도있어."
샤롯은 로건의말에 동의하며말했다. "우리는 이열쇠의용도를 찾아내야해요. 그래야 다음단서를 얻을수있을거예요.“
그들은 열쇠의 용도를파악하기위해 시카고전역의 자료를조사했다. 범인의 메시지속에 숨겨진의미를 찾아내기위해 그들은 모든노력을 다했다. 그과정에서 샤롯은 로건과의 협력이 얼마나중요한지 다시 한번 깨달았다.

시간이흘러 그들은 드디어 열쇠의용도를 알아냈다. 그것은 시카고중심부에 위치한 오래된도서관의 비밀서고를 여는 열쇠였다. 그곳에는범인이남긴 또다른메시지와단서들이 숨겨져있을것이분명했다.
로건과샤롯은 도서관으로향했다. 그들은 비밀서고를 찾아내열쇠로 문을열었다. 서고안에는수많은책들과 함께범인의메시지가 담긴 또다른봉투가 놓여있었다. 그들은 봉투를열어 편지를읽기시작했다.

"잘찾아왔군. 이제 마지막단계에 다가가고있다. 다음단서는 서고안에 숨겨져있다. 과연찾을수있을까? - J"
로건과샤롯은 서고를 샅샅이뒤지며 범인의 마지막단서를 찾기시작했다. 그들은 모든책과서류를 조사하며 범인의 의도를 파악하려 애썼다. 시간이흐를수록 그들은 점점 범인의정체에 다가가고있었다.

로건의 분석: 진실에 다가가기

로건과샤롯은 비밀서고에서 범인의 마지막단서를 찾기위해 분주하게 움직였다.
서고안에는 수많은책과문서가 어지럽게 쌓여있었고, 그들은 한권한권신중하게 살펴보며 범인의흔적을추적했다.
로건은 손에들고있던책을 내려놓고 샤롯에게말했다.

"우리가 찾고있는것은 단순한책이 아닐수도있어. 어쩌면 이서고안에 숨겨진다른무언가가 있을지도몰라."
샤롯은 고개를 끄덕이며말했다.
"맞아요. 범인은 분명우리를 이곳으로 유인하려는의도가있었을거예요. 이서고안에 숨겨진단서가 그의계획의 핵심일지도몰라요."

그들은 서고의 구석구석을조사하며 작은단서라도 놓치지않기위해 주의깊게 살펴보았다. 로건은 벽에걸린 오래된그림을주목했다. 그는 그림을 조심스럽게 떼어내고 뒤를 살펴보았다.
"여기, 뭔가있어." 로건은 그림뒤에 숨겨진작은금고를 발견했다.
샤롯은 로건에게 다가가며 말했다. "열쇠가 여기서 쓰일것 같아요." 로건은 서고에서 발견한열쇠를꺼내 금고에 맞추어돌렸다.

금고는 부드럽게열렸고, 그안에는 또 다른편지와 함께오래된서류몇장이 들어있었다. 로건은 편지를꺼내 읽기시작했다.
"로건, 이제 너는진실에 한발더 다가섰다. 하지만 이게임은 아직끝나지 않았다. 다음단서는 서류들속에숨겨져있다. 진실을찾기 위해서는 모든퍼즐을 맞춰야한다. - J"

로건은 서류들을꺼내 펼쳐보았다. 서류에는 복잡한암호와기호들이 적혀있었고, 그들은 그것들을 해독하기위해 머리를맞대었다.
샤롯은 서류들을 하나하나살펴보며 단서를 찾아내려애썼다.
"여기 기호들은 단순한암호가아니예요. 뭔가 더깊은의미가 숨겨져있어요." 샤롯이 말했다.
로건은 서류를들여다보며말했다. "이건단순한숫자나기호가 아니야. 어쩌면 지리적위치나 특정장소를 나타내는것일수도있어. 우리가 지금까지 모은단서들과 연관지어야해."

그들은 이전에 수집한모든단서들을 다시한번검토하기시작했다.
각단서가 의미하는바를 분석하며, 그것들이 어떻게연결되는지 고민했다. 로건은 서류에적힌기호들을 지도의특정위치와 비교해보았다.
"여기, 기호들은 시카고의 특정장소들을 가리키고있어.
우리가 지금까지 찾은단서들과 일치하는 분이있어." 로건이말했다.

샤롯은 로건의 말을듣고 지도를 자세히들여다보았다.
"맞아요, 이 기호들은 우리가 조사했던공원과일치해요. 그리고 이 장소들은 모두 범인의 행적과 연관되어 있어요."
그들은 지도를 따라가며 범인이 나타난장소들을 연결하기 시작했다. 각장소마다 범인의흔적이 남아있었고, 그것들은 모두하나의 패턴을이루고 있었다. 로건은 퍼즐조각들을 맞추며 범인의 의도를 파악해 나갔다.

"범인은우리를 이곳으로유인한뒤, 그의 다음계획을 실행하려고 해. 그의 목표는 단순한살인이 아니라, 우리를 그의 게임에 끌어들이려는거야." 로건이 말했다.
샤롯은 로건의 분석을듣고 고개를끄덕였다. "맞아요. 그리고 그의 게임에우리를 시험하고있어요. 우리가 그의 의도를 파악하지 못하면 더많은희생자가 나올거예요."

로건은 지도를 다시한번 살펴보며말했다.
"우리는 이패턴을 따라가야해. 범인의 다음움직임을예측하고, 그를 막아야해." 그들은 지도의 각지점을따라가며 범인의다음목표를 파악하기위해 노력했다. 로건은 각장소에서 발견한단서들을 조합해 범인의 계획을 분석했다. 그의추리는점점 더명확해졌고, 범인의 의도를 이해하게되었다.

"여기, 이장소가 범인의다음목표일거야. 그는 우리가 이곳으로 오기를 기다리고있을거야." 로건이 말했다.
샤롯은 로건의 분석을듣고말했다. "로건 우리는서둘러야해요. 범인이 다음움직임을 실행하기전에 그를 막아야해요."
그들은 지도를 따라가며 범인의 다음목표를향해달려갔다. 그들의 목표는 분명했다.

범인을막고, 그의 게임을 끝내는것이었다. 로건과샤롯은 함께힘을 합쳐 범인의 의도를 파악하고, 그의 계획을 저지하기위해 최선을 다했다.
시간이 흐를수록 그들은 점점 진실에 다가가고 있었다. 범인의 의도와계획이명확해질수록, 그들은 그의 다음움직임을 예측할수있었다. 로건은그의 추리와분석을 통해 범인의 심리를파악하며, 그의 다음목표를 찾아냈다.

"우리는 이곳에서 범인을 막을수있어. 그의계획은 우리를 시험하려는것이었지만, 우리는 그의게임을 이길수있어." 로건이 말했다.
샤롯은 로건의 말을 듣고 결연한표정을 지었다.
"우리는 반드시 이길수있을거예요. 더이상의 희생자는없을거예요."
그들은 범인의 다음 목표를 향해 나아갔다. 그들의 결심은 확고했고, 범인의게임을 끝내기위해 모든노력을 다할준비가되어있었다.

샤롯의 용기: 위험한 결정

로건과샤롯은 또 다른긴밤을보냈다. 서고에서 발견한 단서들이 조금씩맞춰지며 범인의윤곽이 드러나고있었지만, 여전히중요한 조각이빠져있었다. 그들은 범인이계획한 다음움직임을 예측하기 위해 모든지도를 펼쳐놓고 토론을이어갔다. 그러나 피로와 긴장은 샤롯의마음에 무거운짐이되어가고 있었다.

"로건, 우리에게 시간이 얼마남지 않았어요." 샤롯은 지친목소리로 말했다. "우리는 무언가를 놓치고있어요."
로건은 고개를끄덕였다. "맞아. 범인은 우리를계속 시험하고있어. 그의 패턴을 파악하는것이 중요해."
그순간, 샤롯의 눈빛이 결연해졌다. "로건, 제가 위험한제안을 하나해도 될까요?“ 로건은그녀를주목하며 말했다.
"무슨생각을하고있는지 말해봐.“

샤롯은 깊은숨을 내쉬며 말했다. "제가 미끼를할께요. 범인이 저를 목표로삼게 유도해요. 그가 저를노릴때, 우리는그를 잡을수있을거예요." 로건은 놀란표정으로 샤롯을바라보았다.
"너무위험해. 그가 얼마나 교활한지알잖아. 너를 미끼로 삼는 것은 너무 큰리스크야."샤롯은 단호하게 고개를저었다.

"하지만 저희에게 다른선택이 없어요. 그가 우리를어떻게 움직이는지 알고있어요. 저희가 먼저움직여야해요."
로건은 잠시침묵했다. 그녀의 말이옳다는것을 인정하면서도, 그녀를 위험에 빠뜨리고싶지 않았다. 그러나 샤롯의결심은확고해보였다.
"좋아." 로건은 마침내동의하며 말했다. "하지만 철저하게계획을 세워야해. 너를보호하기위해 모든것을 준비하겠어.“

샤롯은 고개를 끄덕였다. "알겠어요. 저희함께 힘내요."
그들은 밤새도록계획을 세우며 샤롯의 안전을 최우선으로고려했다. 샤롯은 범인의 관심을 끌기위해 일부러 눈에띄게 행동하기로했고, 로건은 그를 은밀히보호하며 감시하기로했다.
다음날, 샤롯은 시카고의 번화가로나갔다.
샤롯은 일부러많은사람들 사이에서 자신을 드러내며행동했다.

그동안 로건은 멀리서 샬롯을지켜보며 주의깊게주변을 살폈다. 그들은 무전기로 끊임없이소통하며 상황을모니터링했다.
샤롯은 카페에앉아 커피를마시며 사람들의시선을끌었다.그녀는 일부러 자신의존재를 강조하며 주변사람들에게 다가갔다.

로건은 근처건물의 옥상에서 망원경으로 그녀를 지켜보았다. 그들의작전은 범인이 그녀에게 접근할때까지 기다리는것이었다.
시간이 흐르자 샤롯은 점점 불안해졌다. 그러나 그녀는 용기를 잃지않았다. 범인을 잡기위해서라면 어떤위험도 감수할준비가되어있었다. 그때, 그녀의눈에 수상한남자가 들어왔다. 그는 계속해서 샤롯을 주시하며 움직이고있었다.

"로건, 수상한사람이있어요. 저를 계속쳐다보고있어요."
샤롯이 무전으로말했다.
로건은 남자의위치를 확인하고 곧바로응답했다. "알겠어. 그를주시해. 절대눈을 떼지말고 조심해." 샤롯은 남자를 관찰하며 그의행동을 분석했다.
그는 점점 더 가까이다가오며 샤롯을 둘러싸고있는 사람들사이에서움직였다. 로건은 남자의행동을 주의깊게살피며 그의 의도를 파악하려애썼다.

"로건, 그가 가까워지고있어요." 샤롯이 말했다.
로건은 긴장된목소리로 말했다. "침착해. 내가 곧바로뒤따라가고있어."
남자는 마침내샤롯에게 접근했다. 그는 낮은목소리로말했다.
"샤롯, 너의 용기에감탄했어. 하지만 이제그만둬. 더 깊이들어가면 너만 위험해질거야."

샤롯은그의말을듣고 가만히서있었다. 그녀는두려움을 억누르며 침착하게 대답했다. "나는물러서지않아. 너를잡기위해 여기까지왔어."
남자는 미소를지으며말했다. "좋아, 그렇다면게임을계속해보자."
그순간, 로건이 빠르게다가와 남자를제압했다. 로건은남자를 바닥에 눕히고 수갑을채웠다. "넌 끝났어."
남자는 웃으며말했다. "게임은 이제시작된거야, 로건. 너희는 아직 진실에 다가가지못했어."
로건과샤롯은 남자의 말을 듣고 다시 한번 결의를 다졌다. 그들은 아직 진실에 다가가지 못했지만, 서로의 용기와 결단력으로 더 나아갈 수 있었다. 샤롯의용기는 그들에게 새로운희망을 주었고, 그들은 함께 모든난관을 헤쳐 나갈준비가되어 있었다.

그들의 두뇌게임은 이제 새로운국면에 접어들었다. 범인의도발에 맞서 로건과샤롯은 더욱 철저한계획을 세우며 진실에다가갔다. 그들은 서로의 용기와신뢰를 바탕으로 범인의 의도를 파악하고, 그의 게임을 끝내기위해 끝까지 싸울것을 다짐했다.

세번째 희생자: 시간과의 싸움

로건과샤롯은 범인을체포한후에도 불안감에서 벗어나지못했다. 잡힌범인의 표정에는 어떤승리감이서려있었고, 그것이 더욱두사람을 긴장하게만들었다. 로건은 서둘러서 조사를진행했지만, 범인의 진술에서 중요한정보를 얻는데 어려움을겪었다. 그의태도는 마치 자신이 범인이 아니라는것을 암시하는듯했다. 그와중에 다른사건이 발생했다는 소식이 들려왔다.

새벽녘, 경찰무전기를 통해 전해진소식은 로건과샤롯의 가슴을 철렁하게 만들었다. 세번째 희생자가 발견되었다는것이었다.
그들은 즉시현장으로 향했다. 그들에게 주어진시간은 점점줄어들고 있었다. 현장은 도심의한복판에 위치한 오래된건물이었다.
주변은 경찰차와구급차로 어수선했고, 기자들이몰려있었다.

로건과샤롯은 경찰의 제지를뚫고 현장으로들어갔다. 희생자는 젊은여성으로, 그녀의 시신은 비참한상태로발견되었다.
"이번에도 잔인하게당했군." 로건은 차가운눈빛으로시신을 살폈다.
"패턴이있어. 범인은 분명히뭔가를 우리에게 전달하려하고있어."
샤롯은 조심스럽게 주변을살피며 작은단서하나라도 놓치지 않으려했다.
"이번사건에서도 범인의메시지가있을거예요. 그메시지를 찾아내야해요."

그들은 사건현장을 철저히조사하기시작했다. 희생자의신원과그녀의 마지막행적을 파악하며, 주변에 흩어진 작은단서들을 모아갔다. 그들의 조사과정에서 한가지공통점이 눈에들어왔다. 희생자들이 모두 특정시간대에 공격당했다는것이었다.
"범인은 시간을기준으로 움직이고있어." "그의 다음목표를 예측할수있을지도몰라."로건이 말을했다.

샤롯은 로건의 분석에동의하며, 추가조사를통해시간을 좁히기시작했다. 그들은 범인이 사용하는패턴을분석하며 그의 다음목표를 예측하려 애썼다. 시간이 흐를수록 그들은 많은정보를 모으고, 점점 더범인에게 가까워지는 느낌을받았다.
그들의 분석결과, 다음공격이 일어날가능성이 높은시간이 점점 명확해졌다. 그들은 경찰과 협력하여 해당시간대에 경계를강화하고, 모든가능성을 염두에두고 준비를 갖췄다.
"이번에는 반드시막아야해." 로건이 단호하게말했다. "범인의 계획을 실패시켜야해."
샤롯은 결연한눈빛으로 고개를끄덕였다.
"네, 이번에는 우리가 먼저 움직일거예요."

그들은 예상된시간과장소에서 매복하며 범인의 움직임을기다렸다. 시간은 빠르게흘렀고, 긴장감은 극도로높아졌다. 하지만 정해진시간이 다가와도 아무런움직임이 없었다. 그순간, 로건의 휴대전화가 울렸다.
"로건, 지금 다른장소에서 희생자가 발견되었다는보고가들어왔어." 경찰관의 목소리가 긴박했다.

로건과샤롯은 급히그곳으로 향했다. 예상이 빗나갔다는 사실에 좌절감을느끼면서도, 그들은 포기하지않고 범인의흔적을 추적했다. 새로운희생자가 발견된장소는 시내의외곽에 위치한 한적한거리였다. 그들은 현장에 도착하자마자 즉시조사를시작했다.
"이번희생자도 비슷한상처가있어요." 샤롯이 말했다. "범인의패턴이 분명해지고 있어요."

로건은 주위를살피며 단서를찾기시작했다. "그는 우리의 움직임을 예측하고있었어. 우리가 예상했던것과 다른시간과장소를선택했어."
그들은 현장에서 발견된작은단서들을 모아분석했다.
이번에도 범인은 치밀하게준비한듯, 흔적을거의남기지 않았다.
그러나 로건과샤롯은 포기하지않았다. 그들은 하나하나의 단서를 통해범인의 심리를파악하고, 그의 다음움직임을 예측하기위해노력했다.

"우리가 놓친무언가가있어." 로건이 말했다. "그의 패턴을 더면밀히 분석해야해." 샤롯은동의하며 새로운시각으로 단서를 검토하기 시작했다. "그는 우리를도발하고 있어요. 저희가 그의게임에 말려들게하려는것 같아요."
그들은 범인이남긴 작은흔적들을 조합하며그의 심리를파악했다. 범인은 자신이언제든지 잡힐수있다는 사실을 알고있었지만, 그것을 즐기는듯했다. 그의 행동은 그들에게 일종의메시지를 전달하려는 것처럼 보였다.

"우리가 더 깊이들어가야해." 로건이 결심했다. "그의 의도를 파악하고, 그의 게임을끝내야해." 샤롯은 로건의결심에고개를끄덕였다. "우리는 해낼수있어요. 이번에도 우리를 시험하고있는거예요."
그들은 새로운단서를 바탕으로 범인의 다음목표를 예측하며, 시간과의싸움을 이어갔다. 그들의 용기와결단력은 범인의 도발에 맞서 더욱 강해졌다.

범인의 함정: 로건의 판단

로건과샤롯은 세번째 희생자의 현장을 조사한뒤로 계속해서 범인의흔적을 추적하고있었다. 그들은 사건의퍼즐조각들을 맞추며 범인의행동패턴과심리를 분석했다. 그러나 범인은 교묘하게도 단서를 남기지않으며, 그들을 혼란스럽게했다. 그러던어느날, 로건은 새로운단서를 발견했다.
"샤롯, 이걸봐." 로건이말했다. 그의 손에는 희생자의주변에서 발견된 작은메모가들려있었다.

"이건 범인이 남긴메시지같아." 메모에는 간단한문장이 적혀있었다. "게임은 아직끝나지않았다." 로건과샤롯은 메시지를 통해 범인이 그들에게 또다른도전을 던지고있음을 깨달았다. 그들은 즉시 이메시지의 의미를 분석하기시작했다.
"범인은 우리를끊임없이 시험하고있어요." 샤롯이말했다. "우리를 혼란스럽게 만들려는것같아요."

로건은 메모를 주의깊게살펴보며 고개를끄덕였다. "맞아. 하지만 이번에는 우리가 그의 함정에 빠지지않을거야."
그들은 범인이 남긴메시지를 바탕으로 그의 다음목표를 예측하기 시작했다. 그과정에서 로건은 범인의 행동패턴을 더욱 면밀히분석했다. 로건은 범인이 그들을 어떻게조종하려하는지를 파악하려노력했다.

며칠후, 또다른단서가 발견되었다. 이번에는 도심한복판에 위치한 오래된건물이었다. 그들은 즉시 그곳으로향했다. 건물안은 어둡고 음침했으며, 곳곳에 범인의 흔적이 남아있었다. 로건과샬롯은 신중하게 움직이며, 작은단서 하나도 놓치지않으려했다.
"로건, 이곳은 범인이우리를 유인하려는 장소같아요." 샤롯이말했다. "우리가 예상했던것보다 더치밀하게 계획된것같아요."

로건은 고개를끄덕이며 주위를살폈다.
"맞아. 하지만 우리는 그의 의도를파악해야해. 그의 함정에 빠지지않도록 조심해야해."
그들은 건물안을 조사하며 범인의흔적을 찾기시작했다. 그과정에서 로건은 중요한단서를 발견했다. 그것은 바로 건물지하로 통하는 비밀 통로였다.
그는 샤롯과 함께그통로를 따라가며, 범인이 숨겨놓은진실을 찾기 시작했다.
지하통로는 어둡고습기찬 분위기였다. 로건과샤롯은 신중하게 움직이며, 범인이 설치해놓은함정을 피하려애썼다. 그들은 서로의 신뢰를 바탕으로 한발 한발 앞으로나아갔다.

"로건, 여기서 뭔가수상한냄새가나요." 샤롯이 조심스럽게 말했다. 로건은 주위를 살피며 고개를 끄덕였다. "맞아. 범인이 뭔가를 숨기고있을거야." 그들은 통로끝에 도착했고, 그곳에는 작은방이 있었다. 방안에는 범인이 남긴 또다른메시지가 있었다.
"너희는 여기까지올줄알았다. 하지만 이건 시작일뿐이다.“

로건은 메시지를읽으며 말을했다.
"범인은 우리가 여기올것을 알고있었어. 그는 우리를 계속해서 시험하고있어. 하지만 우리는 그의 의도에 말려들지않을거야."
샤롯은 로건의 말에동의하며, 방안을 주의깊게살폈다.
"우리가 찾아야할단서는 분명히 이곳에 있을거예요.“
그들은 방안을 철저히 조사하며, 범인이남긴흔적을 찾기시작했다. 그과정에서 로건은 중요한단서를 발견했다. 그것은 바로 다음목표를 예고하는 또다른 메시지였다. "다음은 더욱치명적일것이다.“

로건과샤롯은 이메시지를통해 범인이그들을 계속해서 시험하고 있음을 깨달았다. 그들은 범인의 함정에빠지지 않도록주의하며, 그의 다음움직임을 예측하기위해 노력했다.
"우리는 그의 게임에 빠져들지않을거야." 로건이 단호하게 말했다.
"범인의 함정에 말려들지 않도록 신중하게행동해야해."
샤롯은 로건의 결심에 고개를 끄덕였다. "네, 우리는 함께라면 이겨낼수있어요.“

그들은 범인의 메시지를 분석하며, 그의 다음목표를 예측하기위해 철저한계획을 세웠다.

샤롯의 위기: 로건의 선택

로건과샤롯은범인의함정을 벗어나기위해 전력을다했다. 그들이 찾은단서는범인이 이미 다음움직임을 계획하고있음을 보여주고 있었다.
그날저녁, 로건은 샤롯과 함께사건에 대해 논의하고있었다.
"로건, 범인은 우리를끊임없이 유인하려고해요. 그의다음계획을 예측할수있을까요?" 샤롯이 물었다.

로건은 잠시생각에 잠기더니말했다. "범인은우리가 그의함정에 빠지기를원해. 그는우리를시험하고있는거야. 하지만우리는그의 의도에 말려들지않을거야."
그순간, 로건의 전화가울렸다. 전화기너머로 들려오는목소리는 차분하면서도 긴장감이서려있었다.
"로건, 새로운단서가발견됐어. 시카고외곽의 폐공장에서 신원이 확인되지않은 여성이 발견됐다고해. 그녀가범인의 다음희생자일가능성이높아."

로건은 즉시행동에나섰다. "샤롯, 폐공장으로가야해. 새로운단서가 생겼어."
둘은 급히 차를몰고 폐공장으로 향했다. 도착한곳은 어둡고 을씨년스러운분위기가 감돌고있었다. 그들은 신속히공장안으로 들어갔다. 내부는 불길하게도고요했고, 곳곳에는 오래된기계와 쓰레기들이 흩어져있었다.
"로건, 이곳은 위험해보여요. 조심해야해요." 샤롯이 말했다.
로건은 고개를 끄덕이며신중하게 주위를살폈다.
"맞아. 범인은 이곳에서 무언가를 계획하고있을거야. 주의깊게살펴보자."

그들은 공장내부를 탐색하며 작은단서들을 찾아내기시작했다. 그때, 로건은 바닥에 떨어진휴대전화를 발견했다. 그것은 분명히 최근에 사용된흔적이 있었다.
"샤롯, 이휴대전화는 분명히 범인이남긴것같아. 그의흔적이여기 남아있어." 로건이 말했다.
샤롯은 휴대전화를 살펴보며동의했다. "맞아요. 이전화는 범인이 우리를 유인하기위해 사용한것같아요."

그순간, 공장내부에서 갑작스러운 소음이들려왔다. 로건과샤롯은 긴장하며 소리가나는 방향으로향했다. 그들이 도착한곳은 공장의 깊숙한곳에 위치한방이었다. 방안에는 불이꺼져있었고, 어둠속에서 무엇인가 움직이는소리가들렸다.
"조심해, 샤롯. 여긴정말위험해." 로건이말했다.
그들은 조심스럽게방안으로 들어갔다. 그순간, 불이 켜지면서 방안의상황이드러났다. 방중앙에는 의자에 묶인여성이있었고, 그녀는 겁에질린표정으로 도움을청하고있었다.

"살려주세요!" 여성이 외쳤다.
로건과샤롯은 즉시여성을 풀어주기위해다가갔다. 하지만 그순간, 방안에 설치된장치가 작동하며 문이잠겼다. 로건은 빠르게상황을 파악하며 말했다.
"샤롯, 이건함정이야. 이곳에서 빨리나가야해."
그러나 그들은 이미함정에 갇혀있었다. 방안에는 시한폭탄이설치되어있었고, 시간이 빠르게흘러가고있었다. 로건은 시한폭탄을 해체하기위해 애썼지만, 시간은 점점줄어들고있었다.

"로건, 이제시간이없어요. 어떻게해야해요?" 샤롯이 긴장된목소리로 물었다.
로건은 침착하게 시한폭탄을 해체하려했지만, 시간이촉박했다. 그는 샤롯을 바라보며결단을 내렸다.
"샤롯, 너는이곳을 빠져나가. 내가시간을벌테니, 너는여기를벗어나."
샤롯은 로건의말을 듣고 고개를저었다. "안돼요, 로건. 우리둘다 나가야 해요."

그러나 로건은 단호하게 말했다. "샤롯, 너는나가야해. 내가 여기서 해체하고 있을테니, 너는안전한곳으로가."
샤롯은 눈물을글썽이며 로건을 바라보았다. "로건, 당신을두고 갈수없어요."
로건은 샤롯의손을 잡으며 말했다. "너는꼭나가야해. 그래야 우리가 이사건을 해결할수있어. 난괜찮아. 넌나가서 범인을잡아야해."
샤롯은 로건의말에고개를 끄덕이며, 그를믿고방을 나섰다. 그녀는 빠르게 문을열고밖으로 나가면서도 로건을 떠날수없다는마음에괴로워했다.

그러나 그녀는로건의 생각을존중하며, 그의희생을 헛되이하지않기위해 밖으로나갔다.
밖으로나간 샤롯은 경찰에게 상황을알리고, 로건을구출하기위해 지원을요청했다. 그사이 로건은 시한폭탄을해체하려 애썼지만, 시간이 거의다되어가고 있었다.

그순간, 지원팀이 도착했고, 그들은 신속히방안으로 들어갔다. 로건은 끝까지 시한폭탄을 해체하려노력했지만, 결국폭발이 일어나기 직전지원팀의 도움으로 간신히방을 빠져나올수있었다.
로건과샤롯은 서로를 바라보며 안도의한숨을 내쉬었다. 그들은 서로의 생명을구하기위해 모든것을다했고, 그과정에서 더욱 강한유대감을느꼈다.

"로건, 덕분에 우리가 살아남을수있었어요." 샤롯이 말했다.
로건은 그녀를 바라보며 미소를지었다. "너도 마찬가지야, 샤롯. 우리는 함께라면 어떤어려움도 이겨낼수있어."
그들은 범인의함정에서 벗어나 다시사건을 해결하기위해나아갔다.

네번째 희생자: 미로 속의 진실

로건과샤롯은 범인의함정에서 벗어나 겨우 숨을돌렸지만, 그들에게주어진 시간은많지않았다. 범인은 이미 네번째 희생자를 계획하고 있었다. 그들은새로운단서를 따라가며 범인의흔적을 찾기위해 전력을 다했다.
며칠후, 로건과샤롯은 또다른살인사건이 발생했다는소식을들었다. 이번엔뉴욕시내의고급아파트에서 일어난사건이었다. 피해자는 젊은여성이었고, 그녀의몸에는 이전희생자들과 유사한 잔인한상처가 남아있었다. 두사람은 즉시현장으로 향했다.

"로건, 이번사건도 이전사건들과 비슷해요. 범인은 뭔가메시지를 남기고있어요." 샤롯이 말했다.
"맞아, 샤롯. 그는우리에게 무엇인가를 전하려고하고있어. 이번에도단서를 남겼을거야." 로건이 답했다.
아파트에 도착한 로건과샤롯은 현장을철저히조사하기시작했다. 피해자의방은 완벽하게 정리되어있었고, 마치누군가 일부러 치운것처럼보였다. 그들은 주변을살피며 작은단서들을 찾아내기시작했다.

로건은 방한구석에 놓인 책상위에서 이상한문양이 새겨진쪽지를 발견했다. 그것은 이전사건에서 발견된단서들과 일치하는부분이 있었다. 그는 쪽지를살펴보며말했다.
"샤롯, 이문양을봐. 이것은 분명히 우리를 겨냥한메시지야."
샤롯은 쪽지를 살펴보며 고개를끄덕였다.
"맞아요, 로건. 이문양은 이전사건에서도 발견된것이에요. 범인은 우리를 미로속으로 유인하려하고있어요."

로건과샤롯은 쪽지에적힌단서를 바탕으로조사를 이어갔다. 그들은 쪽지에적힌 좌표를 따라가며 범인의흔적을 추적했다. 좌표는 뉴욕시내의 오래된도서관을 가리키고있었다. 도서관은 현재폐쇄된상태였지만, 그곳에는 여전히 많은책들과자료들이 남아있었다.
도서관에 도착한 로건과샤롯은 내부를탐색하기시작했다. 그들은 각자 다른방향으로 흩어져단서를 찾기로했다. 로건은도서관의 2층으로올라가 책장을살펴보았고, 샤롯은1층에서 문서들을 조사했다.
로건은 책장사이에서 또다른쪽지를 발견했다.

이번쪽지에는 복잡한수수께끼가적혀있었다. 그는쪽지를 읽으며 샤롯에게말했다.
"샤롯, 이쪽지를봐. 이건 분명히우리에게 주어진 또다른단서야."
샤롯은 로건에게 다가가 쪽지를 살펴보았다.
"로건, 이수수께끼는 우리를 또다른장소로 유인하려는거예요. 우리는 이수수께끼를 풀어야해요."

로건과샤롯은 쪽지에적힌수수께끼를 풀기위해 함께노력했다. 그들은 수수께끼에 적힌힌트를 분석하며, 도서관내부의여러장소를 탐색했다. 수수께끼의 해답은 도서관지하에있는 비밀방으로 이어졌다. 지하로내려간 로건과샤롯은 오래된문을 발견했다. 문을열고들어간 그들은 방안에서 또다른희생자의시신을발견했다. 이번희생자는 중년남성이었고, 그의몸에도 이전희생자들과 같은잔인한상처가 남아있었다.

"로건, 이건 분명히 같은범인의짓이에요. 그는우리를 계속유인하려고 하고있어요." 샤롯이 말했다.
로건은 남성의시신을 살펴보며 고개를끄덕였다. "맞아, 샤롯. 우리는그의 계획을막아야해. 이방에도 단서가있을거야."
그들은 방안을 철저히 조사하기시작했다.방안에는 오래된책들과문서들이가득했다.

로건은 책상위에서 또다른쪽지를 발견했다. 이번쪽지에는 이전과 다른방식의 힌트가 적혀있었다.
"샤롯, 이건 새로운힌트야. 범인은 우리를계속시험하려하고있어." 로건이 말했다.
샤롯은쪽지를 살펴보며답했다. "로건, 우리는 이힌트를 풀어서범인을 막아야해요."
그들은쪽지에적힌힌트를 분석하며,새로운단서를찾기위해노력했다.

그과정에서 샤롯은 범인이남긴 또다른흔적을 발견했다. 그것은 범인의계획을 밝혀줄중요한단서였다.
"로건, 이건 분명히 범인이남긴흔적이에요. 저희는 이단서를 따라가야해요." 샤롯이 말했다.
로건은 그녀의말에 동의하며 고개를끄덕였다. "맞아, 샤롯. 우리는 이흔적을 따라가 범인을 잡아야해."

그들은쪽지에 적힌힌트를 바탕으로 새로운장소로 향했다. 그들이 도착한곳은 뉴욕시내의 또다른폐건물이었다. 그곳에는 범인이남긴 또다른단서들이 숨겨져있었다. 로건과샤롯은 폐건물내부를 철저히 조사하며 범인의 흔적을 추적했다. 그과정에서그들은 범인의정체에 한발짝 더 다가갈수있었다. 범인은그들을끊임없이시험하며, 자신의계획을 실행해나갔다.

진실의 조각들: 연결고리 찾기

로건과샤롯은 네번째 희생자와관련된모든단서를 수집한후, 사무실로돌아와 분석을시작했다.
그들은 지금까지 모은단서들을 정리하며 범인의패턴을 파악하고자했다. 사건의진실을 밝혀내기위해서는 단서들을조합하여 전체그림을그려야했다.
"샤롯, 우리는이제까지 네명의 희생자를조사했어. 각각의 희생자는 서로 다른배경을가지고 있지만, 분명히 연결고리가있을거야." 로건이 말했다.

"맞아요, 로건. 하지만 아직도 그연결고리가 무엇인지 명확하지 않아요. 우리는 좀 더깊이 들어가봐야해요." 샤롯이 답했다.
로건은 테이블위에 놓인사건파일들을 살펴보며말했다.
"각희생자의 공통점을찾아보자. 그들의 생활방식, 직업, 관계망등을 분석해야해." 샤롯은 각희생자의 파일을하나씩꺼내며 그들의 정보를 정리하기시작했다.

첫번째 희생자는은퇴한군인, 두번째 희생자는금융전문가, 세번째 희생자는예술가, 그리고 네번째 희생자는교수였다. 그들은모두 사회적으로 성공한사람들이었지만, 서로다른분야에서활동하고있었다.
"이들이 서로 어떻게연결될수있을까요? 너무나 다른배경을 가지고있어요." 샤롯이 고민하며 말했다.
로건은 희생자들의파일을 다시한번 살펴보며말했다.
"모두가 다른배경을 가지고있지만, 그들이공통적으로 어떤특정 장소나 사람과연관이있을지도몰라. 혹시 그들의과거에공통점이있을까?"

샤롯은 각희생자의 과거를조사하기 시작했다. 샤롯은 그들이 살던장소, 다녔던학교, 일했던직장등을 면밀히조사했다. 그과정에서 샤롯은 희생자들이 모두같은시기에 같은도시에 머물렀던 사실을발견했다.
"로건, 이걸보세요. 이들 모두가 약10년전 같은도시에 살았던 적이있어요. 이건우연이 아니에요." 샤롯이 말했다.

로건은 그녀의말을 듣고 고개를끄덕였다. "맞아, 샤롯. 이것이 우리가찾던 연결고리일수있어. 그들이 모두같은도시에 있었다면, 그 시기에 무슨일이 있었는지 조사해봐야해."
그들은 10년전 그도시에서 일어난사건들을 조사하기 시작했다. 도시의신문기사, 경찰기록, 그리고주민들의 증언을통해 정보를수집했다. 그과정에서 한가지 중요한사건을 발견했다. 그사건은 한 기업의 대규모 부정부패사건으로, 당시많은사람들이 피해를 입었다.

"이사건이 범인의동기와 관련이있을까요?" 샤롯이 물었다.
"가능성이높아. 이사건으로 인해 많은사람들이 피해를입었고, 아마도 범인은 그피해자 중 하나일 거야." 로건이 답했다.
그들은 그사건의 피해자목록을조사하며, 희생자들과의연관성을 찾기시작했다. 그리고그과정에서 각희생자가 그사건과관련이있다는 것을발견했다. 그들은모두 그사건의주요증인이거나 관련자였던것이다.

"로건, 이들은모두 그부정부패사건의 증인들이었어요. 범인은 그사건의 피해자나관련자중 한명일거예요." 샤롯이 말했다.
로건은 그녀의말을 듣고고개를 끄덕였다. "그래, 샤롯. 우리는이제 범인의 정체에 한발짝더다가섰어. 범인은 그사건의복수를 위해 이들을 타겟으로삼은거야."
그들은 그사건의 피해자명단을토대로, 범인의정체를 추적하기시작했다.

범인은 그사건으로 인해 큰피해를 입었고, 그로인해 복수심에 불타고있었다. 로건과샤롯은 범인의 심리를분석하며, 그의다음 목표를 예측하기위해노력했다.
"샤롯, 우리는 이제그의다음목표를 예측할수있어. 그는분명히 그사건과 관련된 또다른증인을 노릴거야." 로건이 말했다.
"그렇다면 우리는그를 막기위해 그다음목표를 미리파악해야해요. 다음희생자가 되지않도록 그들을 보호해야해요." 샤롯이 답했다.

그들은 범인이노릴가능성이있는 인물들을조사하며, 그들을 보호하기위한 계획을세우기시작했다. 그과정에서 그들은 범인의행적을 조금씩좁혀가며, 그의은신처를추적했다. 범인은교묘하게도 자신의 흔적을감추며움직였지만, 로건과샤롯은 그의심리와패턴을분석하여 그의 다음행동을예측해나갔다.

시간이 흐를수록 그들은 범인의 정체에 다가가고있었다. 그들은 범인의동기를 명확히파악하며, 그의 심리를 깊이이해하게되었다. 범인은 단순한살인자가아닌, 철저히계획된 복수의행보를 걷고있었다. 로건과샤롯은 그의계획을저지하기 위해 모든지혜와용기를 총동원했다.

5장 최후의 대결

로건의 결단: 마지막 계획

로건과샤롯은 긴추적끝에 범인의정체와그의목적을 완전히 파악하게 되었다. 네 번째 희생자까지 발생하며 점점 더 명확해진 범인의 패턴과 심리를 분석한 결과, 로건은 이제 마지막 단계를 준비할 때가 왔음을 직감했다. 이들은 사무실로 돌아와 결전을 위한 마지막 계획을 세우기 시작했다.

"샤롯, 우리는 이제 마지막단계에 도달했어. 범인은 복수를 위해 계획적으로 움직이고 있어. 그의 다음 목표를 미리 파악해서 그를 덫에 걸리게 해야 해." 로건이 단호한 목소리로 말했다.
"맞아요, 로건. 우리는 이제 그를 막기 위해 모든 준비를 해야 해요. 그가 우리를 예상하지 못하도록 해야 해요." 샤롯이 동의했다.

로건은 범인이 선택할 가능성이 높은 다음 목표를 예측하기 위해, 피해자들의 공통점과 그들이 연관된 사건을 다시 한 번 검토했다. 그 결과, 다음 목표가 될 가능성이 높은 인물의 프로필을 도출해냈다.
"샤롯, 이 인물이 다음 목표가 될 가능성이 높아. 우리가 그를 보호하는 동시에 범인을 유인할 수 있는 방법을 찾아야 해." 로건이 말했다.

"좋아요, 로건. 우리가 그를 보호하는 동안 범인을 유인할 수 있는 덫을 준비해야 해요." 샤롯이 응답했다.
로건은 자신의 책상 위에 지도를 펼치고, 범인이 활동할 가능성이 높은 지역을 표시했다. 범인은 주로 피해자들이 자주 다니던 장소를 타겟으로 삼았기 때문에, 다음 목표 인물이 자주 방문하는 장소를 중심으로 계획을 세웠다.
"샤롯, 우리는 이 지역에 대한 감시를 강화해야 해. 범인이 나타날 가능성이 높은 시간대와 장소를 철저히 모니터링하자." 로건이 말했다.

"알겠어요. 우리는 그의 패턴을 이용해서 그를 덫에 걸리게 해야

해요." 샤롯이 답했다.
그들은 각자 역할을 분담하여 계획을 실행하기로 했다. 로건은 범인의 행동 패턴을 분석하며 그의 다음 움직임을 예측했고, 샤롯은 목표 인물의 보호와 감시를 담당했다. 이들은 통신 장비를 통해 실시간으로 서로의 위치와 상황을 공유하며, 범인을 잡기 위한 마지막 준비를 마쳤다.

로건은 잠시 생각에 잠겼다가 샤롯을 향해 말했다. "샤롯, 이번 계획은 우리에게 큰 위험을 동반할 거야. 하지만 우리는 반드시 그를 잡아야 해. 더 이상의 희생자가 생기지 않도록 해야 해."
샤롯은 로건의 결심을 이해하며 고개를 끄덕였다. "로건, 우리는 함께라면 해낼 수 있어요. 당신을 믿어요."

로건은 그녀의 말을 듣고 결단력을 다지며 말했다. "좋아, 샤롯. 우리는 반드시 이길 거야. 이제 계획을 실행하자."
그들은 마지막으로 준비한 덫을 설치하기 위해 현장으로 이동했다. 로건은 목표 인물과의 접촉을 통해 그를 보호할 계획을 설명했고, 샤롯은 주변 환경을 면밀히 감시하며 범인의 접근을 주시했다. 이들은 긴장된 분위기 속에서도 침착하게 각자의 역할을 수행했다.

시간이 흐르면서, 범인의 접근이 감지되었다. 로건과 샤롯은 긴장감을 감추며, 범인을 유인할 준비를 마쳤다. 범인은 예상대로 목표 인물에게 접근했고, 로건과 샤롯은 그의 움직임을 주의 깊게 관찰했다.
"샤롯, 이제야말로 결단의 순간이야. 준비됐어?" 로건이 묻자, 샤롯은 결연한 표정으로 고개를 끄덕였다.

"네, 로건. 우리는 반드시 해낼 거예요." 샤롯이 답했다.
로건은 목표 인물에게 신호를 보내며, 범인이 그에게 가까워지도록 유도했다. 범인은 경계를 늦추지 않으며 접근했고, 로건과 샤롯은 그의 움직임을 계속해서 주시했다. 이들은 마지막 순간까지 집중력을 잃지 않으며 범인을 덫에 걸리게 하기 위해 만반의 준비를 갖추고 있었다.

샤롯의 부상: 결정적인 순간

로건과샤롯은 범인을유인하는데 성공했다. 긴장감이 극에달한상황 속에서, 범인은 예상했던대로 목표인물에게 접근했다. 범인의 시야에는 자신이속임수에 빠졌다는생각이전혀들지않았다. 그순간, 로건은 무전을 통해 샤롯에게 최종신호를 보냈다.
"샤롯, 이제야말로 결정적인순간이야. 준비됐어?"
"네, 로건. 우리는 반드시해낼거예요."
샤롯은 차분한목소리로 답하며 깊게 숨을들이마셨다.

그녀는 지금의 상황이 얼마나위험한지 알고있었지만, 로건과 함께라면 어떤어려움도 극복할수있을거라 믿었다.
샤롯은 자신이 맡은위치에서 범인을주시하며, 그가 올가미에 걸려드는 순간을기다렸다. 범인이 목표인물에게 다가갔고, 샤롯은 그 순간을 놓치지않고 신속하게움직였다. 그녀는 목표인물과범인사이에서서, 범인의 주의를끌었다.

"여기까지야. 이제 모든게끝났어." 샤롯의목소리는 단호했다.
범인은 잠시놀란표정을 지었지만, 곧차가운미소를지었다.
"네가 이상황을 통제할수있을거라고 생각해?"
샤롯은 범인의 위협에도 불구하고침착하게말했다.
"네가 계획한 모든걸 알고있어. 이제 넌 더이상 도망칠곳이 없어."
그순간, 로건이 나타나 샤롯의옆에섰다.
"우리둘이서 너를 막을거야. 더이상의 희생자는없어."
범인은 당황했지만, 곧 냉정을되찾고 주먹을불끈쥐었다. "그래, 끝을보자고."

샤롯과로건은 동시에움직였다. 샤롯은범인의 주의를끌며 그의공격을피했고, 로건은 그틈을타서 범인을 제압하려했다. 하지만 범인은 만만한상대가아니었다. 범인은 로건을향해 칼을휘두르며 로건을 공격했다.
로건은 범인의공격을 못피했지만, 샤롯이 범인의공격을 막기위해 몸을날렸다. 그녀는 자신의몸으로 로건을보호했다. 범인의칼은 그녀의팔을 스치며 피를흘리게했지만, 샤롯은 포기하지않았다. 그녀는 로건에게외쳤다.
"로건, 지금이예요! 기회를 놓치지마요!"

로건은 샤롯의 말을듣고 로건은 범인의뒤에서 재빠르게 접근해 그의팔을 잡고제압했다. 범인은 반항했지만, 로건의힘과샤롯의용기에압도당했다. 그들은 범인을 완전히제압했고, 현장에도착한 지원병력이 그를체포했다.
샤롯은 상처를 입었지만, 웃음을잃지않았다.
"우리가 해냈어요, 로건. 이제 정말 끝이예요."

로건은 샤롯의손을 잡고 그녀를일으켰다.
"네가 아니었다면 우리는 해내지못했을거야. 너의용기가 우리를 승리로이끌었어."
샤롯은 로건의 말에 미소를지으며 고개를끄덕였다.
"우리는 팀이니까, 함께 해낸거예요."
그들은 범인이 체포되는모습을 보며 안도의한숨을 내쉬었다.

이들은 서로의 희생과노력이 헛되지 않았음을 깨달았다. 그동안의 긴추적과싸움은끝이났고, 그들은 진정한 승리를 거머쥐었다.
병원으로 이송된 샤롯은 치료를 받으며 로건과 다시 한 번 이야기를 나눴다. 로건은 샤롯의 손을 잡고 말했다.
"너의 용기가 없었다면 우리는 해낼수없었을거야. 정말고마워, 샤롯."

샤롯은 부드럽게미소지으며말했다. "우리가함께했으니까 가능했어요. 당신도 정말고마워요, 로건."
그들은 이번 사건을 통해 서로의 신뢰와우정을 더욱 깊게 느꼈다.
범인은 체포되었지만, 이들의 이야기는끝나지않았다.

범인의 정체: 진실의 폭로

며칠이지난후, 로건과샤롯은 체포된범인을 보기위해 교도소로 향했다. 그들의 마음은무겁고도복잡했다. 사건은끝났지만, 남겨진 질문들이 아직도 로건과샬롯을괴롭혔다. 범인의진짜목적은 무엇이었을까? 그의 배후에는 또다른흑막이 존재하는걸까? 이모든 의문을 풀기위해, 두사람은 직접범인을 마주하기로 결심했다.

교도소에 도착한로건과샤롯은 교도관의안내를받아 범인이 수감된 독방으로향했다. 두사람은 잠시멈춰섰다. 문너머에는 그들이 그토록 찾아헤맨 악몽의주인공이있었다. 로건은 깊게숨을 들이마시고 문을열었다.
범인은 독방한가운데 앉아있었다. 그의눈에는 여전히 차가운눈빛이남아있었다. 로건과샤롯이들어오자, 그는 조용히미소를지었다.

“드디어오셨군요,” 범인이말했다. 그의목소리는차분했지만, 그속에는 강한조소가 담겨있었다.
로건은 그의 앞에서서 냉철한눈으로 바라보았다.
“우리는 너의 진짜목적을 알고싶다. 왜이런짓을한거지?”
범인은 어깨를 으쓱이며말했다. “모든것은복수였다. 내가족을파괴한 사람들에 대한복수.”

샤롯은 그의말을듣고 눈을가늘게떴다. “네 가족이라니? 더 자세히 설명해봐.”
범인은 천천히고개를돌려 샤롯을바라보았다.
“너희가 그렇게찾던 그 존스미스, 그는 내형이었어. 하지만, 그는 조직의배신자였지. 그를 죽인것도 너희들이었어. 그래서 나는 너희와 관련된사람들을 하나씩제거하기로 결심한거야.”

로건은 범인의 말을듣고 놀란표정을 지었다. “그러니까, 이 모든것이 우리의 과거와 관련이있다는건가?”
범인은 차갑게웃었다. “맞아. 너희는 나를알지못했겠지만, 나는 오래전부터 너희를 지켜보고있었어. 너희의약점과습관, 모든것을 철저히 분석했지.”
샤롯은 분노를 억누르며 말했다.
“그래서 네가이런 끔찍한일을 벌인거군. 하지만, 너의복수는 실패했어."

범인은고개를 가로저으며말했다. "그렇게생각하겠지. 하지만 나는 이미 충분히 너희에게 상처를줬어. 너희가 이사실을 알고도 계속 평범하게 살수있을것같아?"
로건은 그의 말을듣고 단호하게말했다.
"우리는 너와 다르다. 우리는 이진실을 받아들이고, 더나은 미래를 위해 나아갈거야. 너의 복수는 우리를흔들지못해."

범인은미소를 지으며말했다.
"그렇게 말해봐야소용없어. 너희는 이미 나의계획에 휘말려들었어."
샤롯은 그의 말을듣고 차갑게말했다. "네가 아무리 우리를흔들려해도, 우리는 끝까지싸울거야. 너의 복수는여기서끝이야."
범인은 한숨을쉬며말했다.

"너희가 그렇게 믿고싶다면 그렇게해. 하지만 너희는아직모르는것이많아. 이모든일의 배후에는 또다른인물이있어."
로건은 놀란표정으로 물었다. "무슨말이지? 더큰흑막이 있다는건가?"
범인은 미소를지으며 말했다. "그래, 너희가 잡은 나는단지일부분일뿐이야. 진짜 흑막은 아직도 자유롭게활동하고있어. 그를잡기전까지는 너희의 싸움은 끝나지 않을거야."

샤롯은 그의말을듣고 분노를 억누르며말했다. "그렇다면, 그흑막이 누구인지말해."
범인은 잠시침묵을지키다가 말했다. "너희가 직접찾아봐야겠지. 하지만 그가너희보다 한발앞서있다는걸 명심해. 너희가 이길수있을지 두고보자고."

로건과샤롯은 그의말을듣고 마음을굳게먹었다. 이들의 싸움은 아직 끝나지않았다. 진정한적은 아직도 어둠속에 숨어있었다.
하지만 그들은 포기하지않았다. 서로를 믿고, 끝까지싸울것이다.
범인은 다시미소를지으며말했다.
"너희가 이진실을 알게되면, 더이상 돌아갈수없을거야. 그때 가서 후회하지않기를바란다."

로건은 그의말을듣고 결단력을다지며 말했다.
“우리는 후회하지 않을거야. 너의 협박에 굴복하지도않을거고. 우리는 반드시 진실을밝히고, 너희모두를 법의심판대에 세울거다.”
샤롯도 로건의말에 동의하며 고개를끄덕였다.
“너의게임은 끝났어. 이제 우리의차례야.”

그들은 교도소를 떠나면서 서로의결심을확인했다. 범인은 잡혔지만, 진짜적은 아직남아있었다. 이들은 더큰싸움을 위해 다시한번 준비를다졌다. 그들의 여정은 끝나지않았다.

새로운 시작: 로건과샤롯의 미래

며칠후, 로건과샤롯은 범인의배후를 찾아내기위해 본격적인 탐정일을시작했다. 사건이 해결된후, 샤롯은 경찰을 그만두기로 결심했고, 로건과 함께새로운길을 걷기로했다. 둘은이제범죄와맞서 싸우는 탐정으로서의삶을 시작했다.

샤롯은 경찰서에서 마지막인사를 나누며 동료들에게 작별을고했다. "여러분과 함께한시간은 소중했습니다. 이제 저는새로운도전에 나서려합니다. 언제나여러분을 응원할것입니다." 그녀의 눈에는 확고한 결심이 담겨 있었다.

로건은 샤롯을 밖에서 기다리고있었다. 그녀가 나오자마자 미소를 지으며말했다. "이제부터는 우리둘만의 모험이 시작되는거야. 준비됐어?"
샤롯은 고개를 끄덕이며대답했다. "물론이예요, 로건. 함께라면 어떤어려움도 이겨낼수있을거예요."

그들은 함께새로운탐정사무소를 열었다. 사무소는 아늑하고 실용적인분위기로꾸며졌다. 벽에는 그동안 해결한사건의 자료들과범인의사진들이 걸려있었다. 그들은 각자의 책상에앉아 첫번째 의뢰를 기다리며 앞으로의계획을 세웠다.
첫번째 의뢰는 단순한 실종사건이었다. 하지만 이사건을통해 그들은 팀으로서의 호흡을 맞추는데 큰도움을 받았다.

로건은 뛰어난추리력과분석력으로 사건의 핵심을파악했고, 샤롯은 날카로운직감과사람을 다루는능력으로 증거를 모아갔다.
며칠후, 의뢰인의딸이무사히돌아오자, 그들은 뿌듯한성취감을 느꼈다. 샤롯은 웃으며말했다.
"로건, 우리가 해냈어요. 이제 우리도명탐정이 되는거예요."
로건은 그녀의말을듣고 고개를끄덕이며 미소지었다. "맞아, 샤롯. 하지만 이건시작일뿐이야. 앞으로 더많은사건이 우리를 기다리고 있어."

그들의 탐정사무소는 점점 더많은의뢰를 받기시작했다. 사기사건, 절도사건, 그리고 더복잡한 살인사건까지, 다양한사건들이 그들을 찾아왔다. 그들은 사건 하나하나를 해결해 나가며 점점 더강해졌다.

샤롯은 경찰로서의 경험을살려 범죄현장을 조사했고, 로건은 그의 예리한 추리력으로 사건의퍼즐을 맞춰나갔다. 둘은 서로의 단점을 보완하며 완벽한 팀워크를발휘했다.
어느날, 그들은 또다른복잡한 사건을맡게되었다. 이는 이전에 해결했던 사건들과는 차원이다른도전이었다. 하지만 로건과샤롯은 두려움없이 사건에맞섰다. 그들은 끈질긴추적과분석끝에 범인을 찾아내어 법의심판을 받게했다.

그과정에서 샤롯은 로건에게말했다.
"로건, 저희는 정말 훌륭한팀이예요. 로건과 함께일하면서 많은 것을배웠어요."
로건은 미소를 지으며 대답했다.
"나도 샤롯, 너와 함께라서 정말든든해. 우리는 앞으로도 많은사건을 해결할수있을거야."

그들의 명성은 점점 더높아졌고, 사무소에는 많은의뢰가 끊이지 않았다. 그들은 서로를믿고의지하며 모든어려움을 극복해나갔다.
샤롯은 경찰로서의 경력을넘어 새로운탐정으로서의삶을 즐겼다.
로건과샤롯은 밤늦게까지 사건을 조사하며 함께시간을 보냈다.
그들은 서로의존재에감사하며, 앞으로의 미래를 그려나갔다. 어느날, 로건은 샤롯에게 말했다.

"샤롯, 우리는 앞으로도 계속 이렇게함께할거야. 너와 함께하는 이 순간들이 정말소중해."
샤롯은 그의 말을듣고 고개를 끄덕였다. "저도 마찬가지예요, 로건. 우리는 함께라면 어떤일도 해낼수있을거예요."
그들은 함께 새로운사건을 해결하며, 계속해서성장했다. 로건의 결단력과샤롯의용기는 그들을 더욱강하게만들었다.

그들은 서로를믿고의지하며, 앞으로의 모든도전을 받아들일 준비가되어 있었다.
로건과샤롯의탐정사무소는 이제 많은사람들에게 믿음직한곳으로 알려졌다. 그들은 정의를수호하며, 범죄와싸우는데 최선을다했다.
둘은 함께하는 모든순간을 소중히여기며, 앞으로의 미래를 향해 나아갔다.

그들은 이렇게 새로운시작을 맞이했다. 로건과샤롯은 함께라면 어떤 어려움도 이겨낼수 있을것이라확신하며, 앞으로의 여정을 이어갔다. 그들의 이야기는 끝나지않았다. 앞으로도 많은모험과도전이 그들을 기다리고 있었다. 그리고 그들은 그모든것을 함께할 준비가되어있었다.

로건과샬롯의탐정일기: 연쇄살인범의 게임

발　행 | 2024년 07월 10일
저　자 | 양병채
펴낸이 | 한건희
펴낸곳 | 주식회사 부크크
출판사등록 | 2014.07.15.(제2014-16호)
주　소 | 서울특별시 금천구 가산디지털1로 119 SK트윈타워 A동 305호
전　화 | 1670-8316
이메일 | info@bookk.co.kr

ISBN | 979-11-410-9421-8

www.bookk.co.kr